Para

com votos de
muita paz.

Divaldo Pereira Franco

(Manoel Philomeno de Miranda)

Espírito

TRANSIÇÃO PLANETÁRIA

CENTRO ESPÍRITA CAMINHO DA REDENÇÃO

SALVADOR (BA)

2012

15.000 exemplares
4ª ed.
Do 101º ao 115º milheiro

Revisão: Profº Luciano de Castilho Urpia
Editoração eletrônica: Hayrla Silva
Capa: André Ramiro
Surpervisão editorial: Sérgio Sinotti

Coordenação e produção gráfica:
LIVRARIA ESPÍRITA ALVORADA EDITORA
CNPJ 15.176.233/0001-17 – I.E 01.917.200
Rua Jayme Vieira Lima, n.º 104, Pau da Lima
CEP 41235-000 – Salvador (BA) – Telefax: (71) 3409-8312/13
E-mail: <vendaexternaleal@terra.com.br
Homepage: www.mansaodocaminho.com.br

Dados Internacionais de Catalogação na Publicação (CIP)
Catalogação na Fonte
BIBLIOTECA JOANNA DE ÂNGELIS

FRANCO, Divaldo Pereira.
F895 Transição planetária. / Divaldo Pereira Franco. Espírito Manoel Philomeno de Miranda; Salvador, BA: Livraria Espírita Alvorada Editora. 2012.
245p.

ISBN: 978-85-61879-37-2

1. Espiritismo 2. Tratamento mediúnico I. Divaldo Pereira Franco II. Manoel Philomeno de Miranda III Título.

CDD: 133.93

Impresso no Brasil
Presita en Brazilo

SUMÁRIO

"Para que na Terra sejam felizes os homens, preciso é que somente a povoem Espíritos bons, encarnados e desencarnados, que somente ao bem se dediquem. Havendo chegado o tempo, grande emigração se verifica dos que a habitam: a dos que praticam o mal pelo mal, ainda não tocados pelo sentimento do bem, os quais, já não sendo dignos do planeta transformado, serão excluídos, porque, senão, lhe ocasionariam de novo perturbação e confusão e constituiriam obstáculo ao progresso... Substituí-los-ão Espíritos melhores, que farão reinem em seu seio a justiça, a paz e a fraternidade..."

"...A época atual é de transição; confundem-se os elementos das duas gerações. Colocados no ponto intermédio, assistimos à partida de uma e à chegada da outra, já se assinalando cada uma, no mundo, pelos caracteres que lhes são peculiares..."

(*A GÊNESE,* de Allan Kardec. *A geração nova,* Cap. XVIII – Itens 27 e 28. 13. edição da FEB.)

TRANSIÇÃO PLANETÁRIA

V*ive-se, na Terra, o momento da grande transição de* mundo de provas e de expiações, *para* mundo de regeneração.

As alterações que se observam são de natureza moral, convidando o ser humano à mudança de comportamento para melhor, alterando os hábitos viciosos, a fim de que se instalem os paradigmas da justiça, do dever, da ordem e do amor.

Anunciada essa transformação que se encontra ínsita no processo da evolução, desde o Sermão profético *anotado pelo evangelista Marcos, no capítulo XIII do seu livro, quando o Divino Mestre apresentou os sinais dos futuros tempos após as ocorrências dolorosas que assinalariam os diferentes períodos da evolução.*

Sendo o ser humano um Espírito em processo de crescimento intelecto-moral, atravessa diferentes níveis nos quais estagia, a fim de desenvolver o instinto, logo depois a inteligência, a consci-

ência, rumando para a intuição que será alcançada mediante a superação das experiências primevas, que o assinalam profundamente, atando-o, não raro, à sua natureza animal em detrimento daquela espiritual que é a sua realidade.

Mediante as reencarnações, etapa a etapa, dá-se-lhe o processo de eliminação das imperfeições morais, que se transformam em valores relevantes, impulsionando-o na direção da plenitude que lhe está destinada.

Errando e corrigindo-se, realizando tentativas de progresso e caindo, para logo levantar-se, esse é o método de desenvolvimento que a todos propele na direção da sua felicidade plena.

Herdeiro dos conflitos em que estorcegava nas fases iniciais, deve enfrentar os condicionamentos enfermiços, trabalhando pela aquisição de novas experiências que lhe constituam diretrizes de segurança para o avanço.

Em face das situações críticas pelo carreiro carnal, gerando complicações afetivas, porque distante das emoções sublimes do amor, agindo mais pelos instintos, especialmente aqueles que dizem respeito à preservação da vida, à sua reprodução, à violência para a defesa sistemática da existência corporal, agride, quando deveria dialogar, acusa, no momento em que lhe seria lícito silenciar a ofensa ou a agressão, dando lugar aos embates infelizes geradores do ressentimento, do ódio, do desejo de desforço, esses filhos inconsequentes do ego dominador.

O impositivo do progresso, porém, é inarredável, apresentando-se como necessidade de libertação das amarras vigorosas que o retêm na retaguarda, ante o deotropismo que o fascina e termina por arrebatá-lo.

Colocado, pela força do determinismo, na conjuntura do livre-arbítrio, nem sempre lógico, somente ao impacto do sofrimento desperta para compreender quão indispensável lhe é a aquisição da paz, a conquista do bem-estar... Nesse comenos, dá-se conta dos males praticados, dos prejuízos causados a outros, nascendo-lhe o anelo de recuperar-se, auxiliando aqueles que foram prejudicados pela sua inépcia ou primitivismo em relação aos deveres que fazem parte dos soberanos códigos de ética da vida.

Atrasando-se ou avançando pelas sendas libertadoras, desenvolve os tesouros adormecidos na mente e no sentimento, que aprende a colocar a serviço do progresso, avançando consciente das próprias responsabilidades.

Infelizmente, esse despertar da consciência tem-se feito muito lentamente, dando lugar aos desmandos que se repetem a todo momento, às lutas sangrentas terríveis.

Predominam, desse modo, as condutas arbitrárias e perversas, na sociedade hodierna, em contraste chocante com as aquisições tecnológicas e científicas logradas na sucessão dos tempos.

Observam-se amiúde os pródromos dos sentimentos bons, quando alguém é vítima de uma circunstância aziaga, movimentando grupos de socorro, ao tempo que outras criaturas se transformam em seres-bomba, assassinando, fanática e covardemente outros que nada têm a ver com as tragédias que pretendem remediar por meios mais funestos e inadequados do que aquelas que pretendem combater...

Movimentos de proteção aos animais sensibilizam muitos segmentos da sociedade, no entanto, incontáveis pessoas permanecem indiferentes a milhões de crianças, anciãos e enfermos que morrem de fome cada ano, não por falta de alimento que o planeta fornece, mas por ausência total de compaixão e de solidariedade...

Fenômenos sísmicos aterradores sacodem o orbe com frequência, despertando a solidariedade de outras nações, em relação àquelas que foram vitimadas, enquanto, simultaneamente, armas ditas inteligentes ceifam outras centenas e milhares de vidas, a serviço da guerra, ou de revoluções intermináveis, ou de crimes trabalhados por organizações dedicadas ao mal...

São esses paradoxos da vida em sociedade, que a grande transição que ora tem lugar no planeta irá modificar.

As criaturas que persistirem na acomodação perversa da indiferença pela dor do seu irmão, que assinalarem a existência pela criminalidade conhecida ou ignorada, que firmarem pacto de adesão à extorsão, ao suborno, aos diversos comportamentos delituosos do denominado colarinho branco, *mantendo conduta egotista, tripudiando sobre as aflições do próximo, comprazendo-se na luxúria e na drogadição, na exploração indébita de outras vidas, por um largo período não disporão de meios de permanecer na Terra, sendo exiladas para mundos inferiores, onde irão ser úteis limando as arestas das imperfeições morais, a fim de retornarem, mais tarde, ao seio generoso da mãe-Terra que hoje não quiseram respeitar.*

O egrégio codificador do Espiritismo, assessorado pelas Vozes do Céu, *deteve-se, mais de uma vez, na análise dos trágicos acontecimentos que sacudiriam a Terra e os seus habitantes, a fim de despertar os últimos para as responsabilidades para consigo mesmos e em relação à primeira.*

Em O Livro dos Espíritos, *no capítulo dedicado* à Lei de destruição, *o insigne mestre de Lyon estuda as causas e razões dos desequilíbrios que se dão no planeta com frequência, ensejando as tragédias coletivas, bem como aquelas produzidas pelo ser humano, e constata que é necessário que tudo se destrua, a fim de poder renovar-se. A destruição, portanto, é somente produzida para a transformação molecular da matéria, nunca atingindo o Espírito, que é imortal.*

Desse modo, as grandes calamidades de uma ou de outra procedência têm por finalidade convidar a criatura humana à reflexão em torno da transitoriedade da jornada carnal em relação à sua imortalidade.

As dores que defluem desses fenômenos denominados como flagelos destruidores, objetivam fazer a "Humanidade progredir mais depressa. Já não dissemos ser a destruição uma necessidade para a regeneração moral dos Espíritos, que, em cada nova existência, sobem um degrau na escala do aperfeiçoamento? Preciso é que se veja o objetivo, para que os resultados possam ser apreciados. Somente do vosso ponto de vista pessoal os apreciais; daí vem que os qualificais de flagelos, por efeito do prejuízo que vos causam. Essas subversões, porém, são frequentemente necessárias para que mais pronto se dê o advento de uma melhor ordem de coisas e para que se realize em alguns anos o que teria exigido muitos séculos."(*)

Eis, portanto, o que vem ocorrendo nos dias atuais.

As dores atingem patamares quase insuportáveis e a loucura que toma conta dos arraiais terrestres tem caráter pandêmico, ao lado dos transtornos depressivos, da drogadição, do sexo desvairado, das fugas psicológicas espetaculares, dos crimes estarrecedores, do desrespeito às leis e à ética, da desconsideração pelos direitos humanos, animais e da Natureza... Chega-se ao máximo desequilíbrio, facultando a interferência divina, a fim de que se opere a grande transformação de que todos temos necessidade urgente.

Contribuindo na grande obra de regeneração da Humanidade, Espíritos de outra dimensão estão mergulhando nas sombras terrestres, a fim de que, ao lado dos nobres missionários do amor e da caridade, da inteligência e do sentimento, que protegem os seres terrestres, possam modificar as paisagens aflitivas, facultando o estabelecimento do Reino de Deus *nos corações.*

Reconhecemos que essa nossa informação poderá causar estranheza em alguns estudiosos do Espiritismo, e mesmo reações mais severas noutros... Nada obstante, permitimo-nos a licença de apresentar o nosso pensamento após a convivência com nobres mentores que trabalham no elevado programa da grande transição...

Equipes de apóstolos da caridade no plano espiritual também descem ao planeta sofrido, a fim de contribuir em favor das mudanças que devem operar-se, atendendo aqueles que se en-

contram excruciados pela desencarnação violenta, inesperada, ou padecendo o jugo de obsessões cruéis, ou fixados em revolta injustificável, considerando-se adversários da Luz, membros da sanha do Mal, a fim de melhorar a psicosfera vigente, desse modo, facilitando o trabalho dos Mensageiros de Jesus.

Na presente obra, apresentamos três fases distintas, mas que se interpenetram, em torno do trabalho a que fomos convocado, mercê da compaixão do Amor, de modo a acompanharmos as ações de enobrecimento de dignos e valorosos Benfeitores, vinculados ao programa em desenvolvimento a respeito da transição planetária que se vem operando desde há algum tempo...

Não temos outro objetivo, senão estimular os servidores do Bem a prosseguirem no ministério, a qualquer custo, sem desânimo nem contrariedade, permanecendo certos de que se encontram amparados em todas as situações, por mais dolorosas se lhes apresentem.

Procuramos sintetizar as operações de socorro aos desencarnados vitimados pelo tsunami ocorrido no Oceano Índico, devastador e de consequências graves, que permanece ainda gerando sofrimento e desconforto, especialmente porque sucedido de outros tantos que prosseguem ocorrendo com frequência assustadora...

Logo após, referimo-nos ao contributo especial dos Espíritos dedicados às tarefas de reencarnação dos novos obreiros, terrestres ou voluntários de outra dimensão cósmica, passando à análise dos tormentos que invadem a Terra, assim como da interferência dos Espíritos infelizes, que se comprazem em manter o terrível estado atual de aturdimento.

Nada obstante, em todos os momentos, procuramos demonstrar a providencial misericórdia de Jesus, sempre atento com os Seus mensageiros a todas as ocorrências planetárias, minimizando as aflições humanas e abrindo espaço ao dia radioso de amanhã, que se aproxima, rico de bênçãos e de plenitude.

Agradecendo ao Senhor de nossas vidas e aos Espíritos superiores investidos da sublime tarefa da grande transição planetária, por haver-nos concedido a honra do trabalho ao seu lado, sou o servidor devotado de sempre.

Salvador, 09 de abril de 2010.
Manoel Philomeno de Miranda

(*) *O Livro dos Espíritos,* de Allan Kardec. Parte 3ª. Capítulo VI, questão nº 737, 29ª edição da FEB.
Nota do autor espiritual.

1

NOVOS RUMOS

Diminuída a azáfama com a chegada do crepúsculo, sucedido pela noite suavemente clareada pelos pingentes estelares, uma psicosfera de paz tomou conta da área em que nos encontrávamos, Oscar e nós outro.

Certamente, as atividades prosseguiam no ritmo abençoado das múltiplas realizações de amor e de socorro, de estudos e de desenvolvimento moral em nossa comunidade.

Grupos de Espíritos operosos partiam em direção ao planeta terrestre, comprometidos com tarefas especiais, enquanto outros retornavam jubilosos após os deveres retamente cumpridos.

Os departamentos de educação e de saúde integral permaneciam ativos, enquanto a movimentação na Colônia Redenção diminuía, proporcionando aos que aqui se encontravam domiciliados, o recolhimento aos lares ou aos educandários especializados, mantendo o clima de harmonia em toda parte.

Suave brisa perpassava pela Natureza em festa, perfumada pelas flores exuberantes do jardim onde nos encontrávamos observando a mãe-Terra ornando-se das claridades artificiais, que pareciam, a distância, diamantes coruscantes cravados no acolchoado de veludo azul-marinho que a envolvia.

Havíamos silenciado por um pouco, depois das considerações que entretecêramos sobre os últimos acontecimentos que sacudiram a sociedade terrena, após o *tsunami* que resultara do choque de placas tectônicas no abismo das águas do Oceano Índico...

O obituário estarrecedor chegara-nos ao conhecimento, enquanto estávamos reunidos em oração pelas vítimas inermes da dolorosa tragédia sísmica.

A administração da nossa comunidade destacara duas centenas de especialistas em libertação dos despojos carnais, a fim de cooperarem com os Guias da Humanidade, auxiliando aqueles que foram atingidos pela fúria das ondas gigantescas e das suas consequências.

Dialogáramos a respeito dos sobreviventes, assinalados pelas dores superlativas advindas, pelas epidemias que já se instalavam na região onde os cadáveres se decompunham, pela miséria defluente das perdas materiais e pela saudade inominável dos seres queridos que foram arrebatados pela morte...

A fase mais angustiante se apresentava naqueles dias, quando as sequelas cruéis do infortúnio despedaçavam os sentimentos dos sobreviventes, desanimados e aturdidos...

Tivéramos ocasião de acompanhar em projeções muito fiéis em nosso auditório as cenas terrificantes, comovendo-nos todos até às lágrimas...

Também nos sensibilizaram a movimentação e o interesse dos países civilizados providenciando ajuda imediata ao povo desnorteado, todos contribuindo com valiosa colaboração capaz de amenizar os flagelos que vergastavam as vítimas, hebetadas umas pelos choques violentos e outras quase alucinadas pelo desespero e pela desesperança.

Sabíamos que milhares de Espíritos nobres haviam acorrido em auxílio de todos, empenhando-se em resgatá-los das Entidades infelizes e vampirizadoras, interessadas no fluido vital dos recém-desencarnados.

Simultaneamente, tomávamos conhecimento das providências que haviam sido estabelecidas para diminuir os transtornos comportamentais que se iam alastrando naqueles que ficaram na roupagem carnal...

A distância, o globo terrestre movia-se quase imperceptivelmente no oceano infinito da *musicalidade cósmica.*

Emoções variadas tomaram-nos a ambos, permitindo-nos exteriorizar os sentimentos de amor e de ternura pela querida Gaia, bela, mágica e sofrida, no seu périplo de alguns bilhões de anos, a fim de poder tornar-se o lar feliz de outros tantos bilhões de habitantes que dependiam dos seus recursos para a elevação moral e espiritual.

Quanto lhe devíamos! – Refletimos.

Quantas novas experiências nos seriam necessárias no futuro para torná-la um *planeta de regeneração*?!

Ao mesmo tempo – considerava em silêncio – quantas dores alanceariam os humanos sentimentos, de modo que neles ocorresse a mudança de conduta mental, moral e emocional, tornando as criaturas dignas da libertação das heranças enfermiças do passado, inaugurando no íntimo o *Reino dos Céus*?!

Nesse ínterim, suave musicalidade chegou-nos aos ouvidos, oriunda do santuário próximo onde se ensaiavam as partituras da *Missa em si menor,* de Johann Sebastian Bach, originalmente composta para orquestra, mas ali apresentada em órgão magistralmente dedilhado com o coral infantil de nossa comunidade...

Experimentamos a sensação de que, naquele momento, os Céus comunicavam-se com a nossa Colônia.

Realmente, essa ocorrência tinha lugar, porque o edifício reservado às celebrações do amor e da fé religiosa encontrava-se iluminado com tonalidades prateadas e azuis suaves. Particularmente chamou-me a atenção o movimento das ondas sonoras, que obedeciam ao ritmo suave e doce do órgão e das vozes infantis.

Quase extasiado, ia falar ao amigo Oscar, quando lhe percebi chorando discretamente.

Na perfeita identificação mental que se nos fez espontânea, pude perceber-lhe o pensamento em retrospecto, apresentando-o quando criança habitando os Alpes austríacos, numa capela aldeã de madeira, ouvindo a mesma composição em velho órgão...

As memórias cresciam-lhe, modificando o cenário e pude vê-lo correndo pelos prados verdes numa área assinalada por casario de madeira pintada entre montanhas cobertas pelo *gelo eterno* e o solo salpicado por miúdas flores, mesclando papoulas e rosas trepadeiras coloridas sobre a grama verdejante...

O caleidoscópio evocativo do caro amigo projetou-se-me na tela mental, levando-me à evocação da própria infância, sendo dominado, agora, pelas paisagens da terra brasileira e baiana em Sol e alegria, onde o Senhor da Vida me honrou com a recente reencarnação.

Toda a magia mística desse amável povo, a sua simplicidade e sofrimento resignado, especialmente o dos indígenas e afrodescendentes, suas esperanças e aspirações povoaram-me o espírito, embalado pela melodia sublime.

Não saberia dizer o tempo que transcorreu, à medida que a noite avançava.

Tornando à realidade, meu amigo e nós outro parecíamos haver despertado de um sonho feliz, e quase sem nos darmos conta, estávamos com as mãos unidas, sorrindo e agradecendo a Deus.

Oscar demonstrou haver tomado conhecimento da minha percepção psíquica das suas lembranças, e, sem delongas, explicou-me:

– Realmente nasci em uma linda região do Tirol, num vale verde entre as montanhas dos Alpes austríacos. Descendente de judeus, porque não houvesse sinagoga em nossa região, pude participar dos estudos do catecismo católico e frequentar a pequena e bela igreja da aldeia. Meus pais, verdadeiros anjos do Senhor, não criaram qualquer impedimento a que mantivéssemos a fé dos nossos ancestrais e comungássemos com as demais crianças das lições incomparáveis de Jesus.

"Minha mãe era professora e meu pai, médico, dedicados totalmente ao bem da comunidade humilde.

"Quando a Áustria foi invadida, em inesquecível noite de horror, nosso lar foi devassado por soldados das tropas de elite (SS) e fomos arrastados e atirados em um camburão que nos levou a Viena, dali seguindo em um trem superlotado ao campo de concentração, de trabalhos forçados e de extermínio em Auschwitz, atendendo ao programa da *solução final* que Hitler impôs e foi executado por Himmler e seus asseclas...

"Desnecessário dizer que, chegando ao campo, e após sermos separados, homens, mulheres, idosos, enfermos e crianças, meus pais foram levados à câmara de gás e, posteriormente, jogados nos fornos crematórios."

Fez uma pausa natural, permitindo-me sugerir-lhe que não se recordasse da ocorrência perversa.

Com voz pausada e triste, ele afirmou-me que o fazia como catarse libertadora das fixações profundas...

Logo prosseguiu:

– Em razão de encontrar-me com mais de 16 anos fui poupado para os trabalhos forçados ao lado de outros mortos-vivos que se movimentavam automaticamente, tentando manter-se...

"Por dois anos de horrores, fui transferido para outro campo não menos cruel, Sobibor, na chamada *operação Heinhard,* quando então, felizmente, terminou a guerra e fomos libertados...

"Conduzidos a um campo de refugiados na Áustria, embora a quase destruição de Viena, Deus havia-me permitido a honra de sobreviver ao *Holocausto,* e recomeçar a experiência humana valiosa, de que então me dei conta...

"Muito marcado pelas dores físicas e morais, vivenciando noites de pesadelos que pareciam nunca terminar, optei pelo celibato, a fim de não perturbar a alma querida que comigo se consorciasse.

"Em homenagem aos meus genitores e às vítimas do extermínio, passei a frequentar a Sinagoga, sem perder a emoção do amor a Jesus, o que parece paradoxal...

"Dei prosseguimento aos meus estudos, doutorando-me em Medicina pela Universidade de Viena, e dedicando-me, dentro da minha formação moral, à prática missionária dessa doutrina responsável pelo combate às doenças, aos sofrimentos...

"Aos cinquenta anos de idade, retornei ao *Grande Lar,* vivendo numa comunidade espiritual judaica onde resido com os meus pais, havendo sido convocado para a atividade que deveremos atender na condição de irmãos em humanidade."

Sorriu com um delicado véu de tristeza na face, e distendeu-me a mão, pronunciando com emoção a palavra hebraica *Shalon* (Paz).

De imediato, agora sorrindo, exclamou:

– Novos rumos!

– Rumos novos! – redargui, eufórico.

Deveríamos retornar à Terra-mãe amada em atividades especiais, conforme programação elaborada pelos Benfeitores da nossa comunidade.

Sensibilizados e agradecidos ao Senhor pelas reflexões e emoções experimentadas, despedimo-nos, rumando na direção dos nossos aposentos.

Novos rumos! – Segui ao lar reflexionando em torno da gravidade a respeito das ações a desenvolver, logo concluindo que o Senhor nos daria Seu apoio e Sua inspiração para as atividades que seriam realizadas em Seu nome.

2

O VISITANTE ESPECIAL

Havíamos sido informados anteriormente que nossa comunidade receberia a visita de nobre Entidade residente em outra dimensão, que viria trazer-nos notícias preciosas a respeito do futuro programa de atividades que seriam realizadas proximamente na Terra, no qual nos encontrávamos inscritos Oscar e nós.

O dia transcorrera, portanto, assinalado por doces expectativas.

À noite, no horário convencionado, enquanto os Céus bordavam-se com os diamantes estrelares, dirigimo-nos, o amigo e nós, ao recinto dedicado às conferências especiais.

Tratava-se de um edifício semicircular, cercado por jardins bem cuidados, nos quais se destacavam árvores frondosas e fontes luminosas, cujas águas bailavam no ar ao som de deliciosas melodias, em área ampla, no coração da Colônia.

A sala reservada para eventos dessa magnitude comportava duas mil pessoas especialmente convidadas. Outras salas de menor porte havia, preparadas, porém, para encontros menores e especializados, devidamente equipadas de recursos tecnológicos que permitissem melhor apreensão dos conteúdos apresentados.

A cúpula superior era composta por substância transparente que permitia ver-se o zimbório de veludo escuro da noite com os seus pingentes de prata fulgurante.

De todo lugar, no auditório elegante, tinha-se a perfeita visão convidativa à reflexão, à viagem interior...

Pairava no ambiente a psicosfera resultante das atividades que ali se realizavam com regular frequência.

A pouco e pouco, discretamente ou em conversação gentil e tonalidade meiga, foram-se repletando as poltronas confortáveis, com os que chegavam, enquanto se aguardava o acontecimento.

Antes das 20h, conforme os relógios terrestres, a sala se encontrava repleta.

O nosso governador geral fizera-se presente acompanhado por outros membros responsáveis pela nossa comunidade, demonstrando o alto significado daquela ocorrência.

Recebêramos vagas informações a respeito do nobre Órion, que viria da constelação do Touro, particularmente de uma das Plêiades, a fim de apresentar-nos considerações relevantes a respeito do momentoso projeto sobre reencarnações em massa, conforme vinha acontecendo no amado planeta, desde a segunda metade do século passado, e ora se intensificaria.

A mesa em destaque à frente do auditório repousava sobre um estrado que a colocava em posição que permitia a perfeita visão por todos os presentes.

Antes de serem convidados os membros que a constituiriam, o grupo coral infantil apresentou-se cantando o

Miserere, que se refere ao Salmo 51, também chamado da *penitência*, composto por Gregório Allegri e numa adaptação de Mozart, no século XVIII, que muito jovem ainda, ao ouvi-lo por primeira vez, memorizou-o e o adaptou com ligeiras alterações.

A bela música se inicia com uma súplica: *Senhor, tende misericórdia de mim*, e prossegue, comovedora, caracterizada pelo arrependimento dos erros praticados e rica de certezas do divino amor...

As emoções tomaram-nos a todos, enquanto as vozes angélicas rogavam compaixão para as nossas imperfeições e nós as acompanhávamos em estado oracional.

Quando se deu o silêncio profundo, o mestre de cerimônias convocou o administrador e mais alguns dirigentes valorosos para que completassem a mesa diretora.

A seguir, solicitou ao Espírito Ivon Costa, abnegado divulgador do Espiritismo durante a primeira metade do século passado, no Brasil, que proferisse a prece inicial.

Observei que, num dos lados da mesa, a distância regular, duas Entidades femininas com longas vestes vaporosas e alvinitentes sentaram-se ao lado de um tubo formado por tênue claridade que descia do teto...

O amigo citado, visivelmente inspirado, com uma voz melodiosa como uma flauta habilmente tocada, pôs-se em prece que acompanhamos em silêncio:

Jesus, Benfeitor nosso!

Enquanto o planeta amado estertora no seu processo de aprimoramento evolutivo, padecendo rudes provas e expiações, arrebatando os seus habitantes em direção a sofrimentos inenarráveis, aqueles que aqui estamos reunidos e Te amamos, suplicamos misericórdia, em face da inferioridade moral que predomina em a nossa natureza espiritual.

Desde há milênios que a todos nos convocas para a construção do reino espiritual nas mentes e nos corações, sem que hajamos atendido corretamente ao Teu chamado.

...Nas culturas e civilizações antigas, desde o período dos sumérios, alguns de nós demo-nos conta do alto significado da existência terrestre, deixando-nos, porém, anestesiar pelos vapores da matéria enganosa...

Mais tarde, na Pérsia e em Nínive, tomamos conhecimento da Verdade e dos seus mistérios, *para logo os abandonarmos, seguindo as turbas guerreiras de Dario ou de Salmanasar, conquistando terras e disseminando a morte. A nossa foi, então, a sementeira de sangue, de orfandade, de viuvez, de ódio, e a colheita foram as dores acerbas e sem nome na Babilônia e no Egito, que nos fascinaram com os seus templos faustosos, arrastando-nos depois para as derrotas sangrentas com Astiages e o assassinato de Akenaton...*

Transitamos pelos montes do Tibet e as planuras da Índia, repetindo as lições do Mahabarata *que nos emocionavam, sem que conseguíssemos alterar a belicosidade infeliz que nos assinalava...*

A China veneranda com Fo-Hi e os seus filósofos ensinou-nos sabedoria, entretanto não nos arrefeceu a sede alucinada de poder sobre a Mandchúria e os povos vizinhos, que também a destroçaram várias vezes com os seus carros de destruição...

Atravessamos o deserto com Moisés, como o faríamos depois com Esdra, por nobreza de Ciro para reconstruir o Templo e reerguer Jerusalém, e atacamos os filisteus e outros povos, semeando o terror, malsinando, destruindo...

Atenas encantou-nos, desde os dias de Anaxágoras, depois, com as lições de Sócrates, não impedindo, porém, que nos entregássemos, em Esparta, à hediondez e às lutas incessantes...

Acompanhamos Cipião, o africano, como o fizéramos com Alexandre Magno, o macedônio, e Aníbal, o cartaginês, embora conhecedores da filosofia em torno da imortalidade e da interferência dos deuses em nossas vidas...

...E contigo, após ouvir-Te as lições de incomparável beleza, abandonamos a fidelidade e convertemos a Tua doutrina em poder de mentira, luxúria, hipocrisia e desventura...

Assim, atravessamos a noite medieval, advertidos por mártires e santos, apegados à infâmia e ao horror.

Morremos e renascemos, vezes sem conto, despertando realmente para a vida em abundância quando as claridades do Espiritismo nos arrancaram da densa treva interior, da ignorância e do abismo da loucura egotista...

Houve uma pausa comovida. Todos respirávamos ao ritmo da narração evocativa, profunda e grave.

Logo depois, prosseguiu com o mesmo timbre de voz e a mesma emoção:

Mais de uma vez, a Tua misericórdia sacudiu a barca planetária, qual ocorreu, há pouco, através do tsunami, *demonstrando a fraqueza dos engenhos humanos e suas parcas possibilidades de conhecer os desígnios de Deus, a fim de a todos despertar-nos em definitivo.*

Novamente solicitaste o apoio de outros Espíritos para a grande transição que logo mais terá lugar no mundo físico.

Permite-nos, agora, que o Embaixador de outra Esfera, que estamos aguardando, possa trazer-nos a Tua bênção em nome do amor universal, a fim de que, real-

mente conscientes, consigamos servir-Te com discernimento e abnegação.

Aqui estamos, genuflexos e expectantes, a Teu serviço, de coração e mente abertos à verdade.

Misericórdia, Senhor!

Quando silenciou, completara-se a materialização do visitante especial no tubo de luz, graças à contribuição das médiuns que lhe ofereceram a substância própria para o acontecimento.

Era de estatura um pouco mais alta do que o terrícola padrão. Os olhos pareciam duas estrelas fulgurantes no céu da face gentil. Os movimentos corporais faziam-se harmônicos, quando saiu do lugar onde se condensara, seguindo o mestre de cerimônias, que o conduziu a um assento especial e com destaque sobre a plataforma.

Um perfume suave e doce tomou conta do imenso auditório e todos nos concentramos, fixando o venerável convidado.

Novamente o coral infantil enterneceu-nos com o seu sublime canto.

3

A MENSAGEM-REVELAÇÃO

Ainda não saíramos do quase êxtase, quando o nosso dirigente acercou-se do visitante ilustre e saudou-o com deferência e carinho.

Ato contínuo, levou-o à tribuna e concedeu-lhe a palavra.

O nobre Espírito agradeceu com um sorriso jovial e iniciou a sua exposição:

"– Veneráveis administradores, almas irmãs nossas de todas as dimensões:

"Saudamos-vos a todos em nome do Senhor do Universo.

"Representando a formosa Esfera de amor que se encontra instalada numa das Plêiades, envolta em vibrações especiais constituídas de fótons que formam uma luminosidade em tons azuis, aqui estamos, atendendo à invitação do Sublime Governador do planeta terrestre.

"Embora sem condições de falar em nome dos nossos Guias espirituais, trago o compromisso de contribuir convosco no programa de elevação da Humanidade através da reencarnação de servidores do Bem, adrede preparados para o mister sublime.

"Esta não é a primeira vez que o mundo terreno recebe viajores de outras *moradas,* atendendo à solicitação de Jesus-Cristo, qual aconteceu no passado, no momento da grande transição das formas, quando modeladores do vaso orgânico mergulharam na densa massa física fixando os caracteres que hoje definem os seus habitantes... Da constelação do Cocheiro vieram aqueles nobres embaixadores da luz que contribuíram para a construção da Humanidade atual, inclusive outras inteligências, todavia, não moralizadas, que após concluídos alguns estágios evolutivos retornaram, felizes, aos lares queridos...

"Em outras oportunidades, luminares da Verdade submergiram nas sombras do mundo terrestre, a fim de apresentarem as suas conquistas e realizações edificantes, auxiliando os seus habitantes a crescer em tecnologia, ciência, filosofia, religião, política, ética e moral... Nada obstante, o desenvolvimento mais amplo ocorreu na área da inteligência e não do sentimento, assim explicando o atual estágio de evolução em que se encontram, rico de conhecimentos e pobre de edificações espirituais...

"Periodicamente, por sua vez, o planeta experimenta mudanças climáticas, sísmicas em geral, com profundas alterações na sua massa imensa, ou sofre o impacto de meteoros que lhe alteram a estrutura, tornando-o mais belo e harmônico, embora as destruições que, na ocasião, ocorrem, tendo sempre em vista o progresso, assim obedecendo à planificação superior com o objetivo de alcançar o seu alto nível de *mundo de regeneração.*

"Concomitantemente, a fim de poderem viajar na grande nave terrestre que avança moralmente nas paisagens dos orbes felizes, incontáveis membros das tribos bárbaras do passado, que permaneceram detidos em regiões especiais durante alguns séculos, de maneira que não impedissem o desenvolvimento do planeta, renascem com formosas constituições orgânicas, fruto da seleção genética natural, entretanto, assinalados pelo primitivismo em que se mantiveram.

"Apresentam-se exóticos uns, agressivos outros, buscando as origens primevas em reação inconsciente contra a sociedade progressista, tendo, porém, a santa oportunidade de refazerem conceitos, de aprimorarem sentimentos e de participarem da inevitável marcha ascensional... Expressivo número, porém, permanece em situações de agressividade e indiferença emocional, tornando-se instrumentos de provações rudes para a sociedade que desdenha. Fruem da excelente ocasião que, malbaratada, os recambiará a mundos primitivos, nos quais contribuirão com os conhecimentos de que são portadores, sofrendo, no entanto, as injunções rudes que serão defrontadas. Repete-se, de certo modo, o exílio bíblico de Lúcifer e dos seus comparsas, no rumo de estâncias compatíveis com o seu nível emocional grosseiro, onde a saudade e a melancolia se lhes instalarão, estimulando-os à conquista do patrimônio de amor desperdiçado na rudeza, e então lutarão com afã para a conquista do bem.

"Ei-los, em diversos períodos da cultura terrestre, desfrutando de chances luminosas, mas raramente aproveitadas, cuja densidade vibratória já não lhes permite, por enquanto, o renascimento em o novo mundo em construção."

O Emissário silenciou suavemente e repassou os olhos luminosos pelo imenso auditório mergulhado em quietude e reflexão, absorvendo-lhe cada palavra, logo prosseguindo:

"As *moradas do Pai* são em número infinito, mantendo, como é compreensível, intercâmbio de membros, de modo a ser preservada a fraternidade sublime, porquanto, aqueles mais bem aquinhoados devem contribuir em benefício dos menos enriquecidos de momento. A sublime lei de permutas funciona em intercâmbio de elevado conteúdo espiritual.

"Da mesma forma que, da nossa Esfera, descerão ao planeta terrestre, como já vem sucedendo, milhões de Espíritos enobrecidos para o enfrentamento inevitável entre o amor abnegado e a violência destrutiva, dando lugar a embates caracterizados pela misericórdia e pela compaixão, outros missionários da educação e da solidariedade, que muito se empenharam em promovê-las, em existências pregressas, estarão também de retorno, contribuindo para a construção da nova mentalidade desde o berço, assim facilitando as alterações que já estão ocorrendo, e sucederão com maior celeridade...

"Nesse sentido, o psiquismo terrestre e a genética humana encontram-se em condições de receber novos hóspedes que participarão do ágape iluminativo, conforme o egrégio Codificador do Espiritismo referiu-se em sua obra magistral *A Gênese,* constituída por todos aqueles que se afeiçoem à verdade e se esforcem por edificar-se, laborando em favor do próximo e da sociedade como um todo.

"Desse modo, qual ocorre em outros Orbes, chega o momento em que a Mãe-Terra também ascenderá na escala dos mundos, conduzindo os seus *filhos* e aguardando o retorno daqueles que estarão na retaguarda por algum tempo, porquanto o inefável amor de Deus a ninguém deixa de amparar, ensejando-lhes oportunidade de refazimento e de evolução.

"Nesse inevitável esforço, estaremos todos empenhados, experienciando a vivência do amor em todas as suas expressões, formando um contingente harmonioso e encantador.

"Ninguém que se possa eximir desse dever que nos pertence a todos, individual e coletivamente, porquanto o *Reino dos Céus está dentro de nós* e é necessário ampliar-lhe as fronteiras para o exterior, dando lugar ao Paraíso anelado que, no entanto, jamais será dentro dos limites territoriais da organização física.

"A realidade que somos, Espíritos imortais em essência, tem sua origem e permanência fora das limitações materiais de qualquer mundo físico, que poderia não existir, sem qualquer prejuízo para o processo de evolução. Nada obstante, quando o Criador estabeleceu a necessidade do desenvolvimento nas organizações fisiológicas, à semelhança da semente que necessita dos fatores mesológicos para libertar a vida que nela jaz, razões ponderosas existem para que assim aconteça, facultando-nos percorrer os degraus que nos levam ao Infinito..."

Novamente fez uma pausa em a narrativa, ensejando-nos reflexionar e introjetar as informações, de certo modo, algumas conhecidas e outras em primeiro plano, enquanto vibravam peculiares ondas de paz e de alegria.

Olhando, em volta, notamos os semblantes docemente envoltos em discreta claridade decorrente da alegria que exteriorizavam, da esperança de também poderem contribuir em favor da Era Nova.

Continuando com a mesma tonalidade musical, esclareceu:

– Qual seria, então, a razão por que deveriam vir Espíritos de outro Orbe, para o processo de moralização do planeta? Primeiro, porque, não tendo vínculos anteriores como defluentes de existências perturbadoras, não enfrentariam impedimentos interiores para os processos de doação, para os reencontros dolorosos com aqueles que permanecem comprometidos com o mal, que têm interesse em manter o atraso moral das comunidades, a fim de explorá-las psiquicamente em perversos fenômenos de vampirização, de obsessão individual e coletiva... *Estrangeiros* em terras preparadas para a construção do progresso, fazem-no por amor, convocados para oferecer os seus valores adquiridos em outros planos, facilitando o acesso ao desenvolvimento daqueles que são os *nacionais* anelantes pela felicidade. Segundo, porque mais adiantados moralmente uns, podem contribuir com exemplos edificantes capazes de silenciar as forças da perversidade e obstaculá-las com os recursos inexcedíveis do sacrifício pessoal, desde que, as suas não são as aspirações imediatas e interesseiras do mundo das formas. Enquanto outros estarão vivenciando uma forma de exílio temporário, por serem desenvolvidos intelectualmente, mas ainda necessitados da vivência do amor, e em contato direto com os menos evoluídos, sentirão a necessidade do afeto e do carinho, aprendendo, por sua vez, o milagroso fenômeno da solidariedade. Tudo se resume, portanto, no dar, que é receber e no receber, que convida ao doar.

"A fim de que o programa seja executado, neste mesmo momento, em diferentes comunidades espirituais próximas à Terra, irmãos nossos, procedentes de nossa Esfera, estão apresentando o programa a que nos referimos, de forma que, unidos, formemos uma só caravana de laboriosos servidores, atendendo as determinações do Governador terrestre, o Mestre por excelência.

"De todas essas comunidades seguirão grupos espirituais preparados para a disseminação do programa, comunicando-se nas instituições espíritas sérias e convocando os seus membros à divulgação das diretrizes para os novos cometimentos.

"Expositores dedicados e médiuns sinceros estarão sendo convocados a participarem de estudos e seminários preparatórios, para que seja desencadeada uma ação internacional no planeta, convidando as pessoas sérias à contribuição psíquica e moral em favor do novo período.

"As grandes transformações, embora ocorram em fases de perturbação do orbe terrestre, em face dos fenômenos climáticos, da poluição e do desrespeito à Natureza, não se darão em forma de destruição da vida, mas de mudança de comportamento moral e emocional dos indivíduos, convidados uns ao sofrimento pelas ocorrências e outros pelo discernimento em torno da evolução.

"À semelhança das ondas oceânicas a abraçarem as praias voluptuosamente, sorvendo as rendas de espumas alvas, os novos obreiros do Senhor se sucederão ininterruptamente alterando os hábitos sociais, os costumes morais, a literatura e a arte, o conhecimento em geral, ciência e tecnologia, imprimindo novos textos de beleza que despertarão o interesse mesmo daqueles que, momentaneamente, encontram-se adormecidos.

"Antes, porém, de chegar esse momento, a violência, a sensualidade, a abjeção, os escândalos, a corrupção atingirão níveis dantes jamais pensados, alcançando o *fundo do poço,* enquanto as enfermidades degenerativas, os transtornos bipolares de conduta, as cardiopatias, os cânceres, os vícios e os desvarios sexuais clamarão por paz, pelo retorno à ética, à moral, ao equilíbrio... Frutos das paixões das criaturas que lhes sofrerão os efeitos em forma de consumpção libertadora, lentamente surgirão os valores da saúde integral, da alegria sem jaça, da harmonia pessoal, da integração no espírito cósmico da vida.

"Como em toda batalha, momentos difíceis surgirão exigindo equilíbrio e oração fortalecedora, os lutadores estarão expostos no mundo, incompreendidos, desafiados por serem originais na conduta, por incomodarem os insensatos que, ante a impossibilidade de os igualarem, irão combatê-los, e padecendo diversas ocasiões de profunda e aparente solidão... Nunca, porém, estarão solitários, porque a solidariedade espiritual do Amor estará com eles, vitalizando-os e encorajando-os ao prosseguimento.

"Todo pioneirismo testa as resistências morais daquele que se atreve a ser diferente para melhor quando a vulgaridade predomina, razão pela qual são especiais todos esses que se dedicam às experiências iluminativas e libertadoras. Nunca, porém, deverão recear, porque o Espírito do Senhor os animará, concedendo-lhes desconhecida alegria de viver, mesmo quando, aparentemente, haja uma conspiração contra os seus superiores propósitos.

"O modelo a seguir permanece Jesus, e a nova onda de amor trará de retorno o apostolado, os dias inesquecíveis das perseguições e do martirológio que, na atualidade, terá características diversas, já que não se podem matar impunemente os corpos como no passado... Isso não implica que não se assaquem acusações vergonhosas e se promovam campanhas desmoralizadoras contra eles, a fim de dificultar-lhes o empreendimento superior. Assim mesmo, deverão avançar, joviais e estoicos, cantando os hinos da liberdade e da fé raciocinada que dignificam o ser humano e o promovem no cenário interior.

"Trata-se, portanto, de um movimento que modificará o planeta para melhor, a fim de auxiliá-lo a alcançar o patamar que lhe está reservado.

"Quem não se entrega à luta, ao movimento, candidata-se ao insulamento, à morte...

"Assim sendo, sob o comando do Cancioneiro das bem-aventuranças, sigamos todos empenhados na lídima fraternidade, oferecendo-nos em holocausto de amor à verdade, certos do êxito que nos está destinado.

"Louvando, portanto, Aquele que nos convidou, misericórdia solicitamos."

Quando terminou a eloquente explanação apresentava lágrimas nos olhos que não se atreviam a romper-lhes as comportas...

O governador geral de nossa comunidade acercou-se-lhe e o abraçou carinhosamente, qual desejávamos todos fazer.

Novamente, o coral infantil entoou romântica balada, totalmente desconhecida por mim, enquanto pétalas de rosas caíam delicadas sobre todos nós, desfazendo-se no contato conosco, exalando perfume especial.

Ato contínuo, conduzido pelo nosso administrador, o emissário retornou ao tubo de luz e diluiu-se delicadamente.

Havia cumprido com o dever que lhe trouxera à nossa Colônia.

O mestre de cerimônias acercou-se da tribuna e encerrou a solenidade.

Levantamo-nos vagarosamente em silêncio, formando pequenos grupos interessados em comentar a exposição, enquanto outros nos dirigimos ao estrado para manter conversação com os nobres membros de nossa comunidade, e nos colocarmos à sua disposição.

Identificados pelo amigo Ivon Costa, ele acercou-se do nosso governador, ensejando-nos longa e edificante conversação.

Os comentários prosseguiram por alguns minutos, quando, então, à semelhança de outros assistentes, demandamos nossos aposentos, Oscar, Ivon e nós outro.

4

ROTEIROS TERRESTRES

Para mim, pessoalmente, aquela era uma noite muito especial. Reflexionando em torno da mensagem ouvida a respeito do futuro da Humanidade, não pude sopitar uma inefável alegria de viver os momentos tão significativos em torno da construção da Nova Era.

Desde as remotas páginas do Evangelho de Jesus, assim como das narrações do Apocalipse, e mesmo antes, existem revelações em torno de um mundo feliz na Terra, após as terríveis flagelações que alcançariam as criaturas e as dilacerações que sofreria o planeta.

Os sucessivos acontecimentos que estarreceram a sociedade, convidando-a à análise em torno das convulsões que sacodem o mundo físico periodicamente, enquanto os atos hediondos de terrorismo e de atrocidade repetiam-se de maneira aparvalhante, eram sinais inequívocos da grande mudança que já estaria tendo lugar no orbe terrestre.

Passados, porém, os primeiros momentos explorados pela mídia insaciável de tragédias, outros fatos se tornavam relevantes, substituindo aqueles que deveriam merecer mais estudos e aprofundamento mental, de maneira a encontrar-se soluções para os terríveis efeitos da poluição da atmosfera, do envenenamento das fontes de vida no planeta... É verdade que alguns movimentos bradavam em convites à responsabilidade das nações e dos governos perversos, responsáveis pela emissão dos gases venenosos, para logo tomarem vulto os planos de divertimentos globais e de novas conquistas para o gozo e a alucinação.

Ainda o pranto das vítimas não secara nos olhos e os efeitos trágicos dos acontecimentos nem sequer diminuíram, e as contribuições da solidariedade eram desviadas para fins ignóbeis, enquanto os sofredores observavam a indiferença com que eram tratados, relegados à própria sorte, após a tragédia que sofreram.

As praias de diversos países do Oceano Índico estavam juncadas de cadáveres, dezenas de milhares jaziam sob os escombros das frágeis construções destruídas e a insensatez turística já planejava novos *pacotes* para outros paraísos e lugares de lazer e perversão que não foram danificados...

Felizmente, mulheres e homens nobres, organizações e entidades humanitárias sensibilizaram-se com a dor do seu próximo e acorreram com generosidade, oferecendo alguns recursos que podiam diminuir o desespero das vítimas, dos sobreviventes que tinham necessidade de reconstruir os lares e continuar as experiências humanas.

O espetáculo espiritual nas regiões atingidas, no entanto, era muito grave.

De igual maneira, em razão da decomposição dos cadáveres humanos e de animais outros e da ausência de água potável, era grande a ameaça do surgimento de epidemias, e os Espíritos, abruptamente arrancados do domicílio orgânico, vagavam, perdidos e desesperados, pelas áreas onde sucumbiram, transformadas em depósitos de lixo e de destroços, numa noite sem término, pesada e ameaçadora. Os gritos de desespero, os apelos de socorro e os fenômenos de imantação com outros desencarnados infelizes, constituíam a geografia extrafísica dos dolorosos acontecimentos.

Acompanhávamos os tristes acontecimentos desde nossa comunidade, através de recursos especiais que nos projetavam as imagens terríveis, recolhendo-nos às reflexões do que seria possível contribuir para atenuar tanto desespero e cooperar pelo restabelecimento da ordem.

O banditismo aproveitava-se da situação deplorável para estrangular as suas vítimas, exploradores hábeis negociavam sobre os despojos dos perdidos e alienados, conspirações hediondas forjavam hábeis manobras para a usurpação do máximo daqueles que nada quase possuíam...

Era esse, de alguma forma, o espetáculo horrendo pós-tragédia do *tsunami.*

No dia seguinte, deveríamos reunir-nos com os organizadores da jornada à região conflagrada, de modo a tomarmos conhecimento dos serviços de emergência a serem realizados.

Amanhecera de forma esplêndida, com o céu azul turquesa nimbado de suave claridade que iluminava toda a nossa comunidade.

Embora nos encontremos sob a mesma ação das leis que vigem na manutenção do orbe terrestre, a luz do Sol que nos alcança, porque não encontra obstáculos materiais para produzir o aquecimento contínuo, tem sempre a mesma temperatura, também resultado de camadas especiais de energia emanada dos fótons que envolvem o nosso campo vibratório. Dessa forma, não ocorrem alterações como aquelas sofridas no planeta e decorrentes da sua posição em relação ao Astro-rei.

Deveríamos encontrar-nos às 10h, à sombra de venerando cedro no jardim que circunda o Templo ecumênico, onde todos os religiosos das mais diferentes convicções podem reunir-se para vivenciar as suas doutrinas.

O órgão derramava musicalidade especial, e quando nos aproximamos, Oscar e nós, os demais membros se nos acercaram jovialmente.

Ivon Costa acompanhava o responsável pelo grave empreendimento, cabendo-lhe o dever de apresentar-nos, o que ocorreu sem maiores circunlóquios.

– Temos o júbilo – começou o amigo – de pôr-vos em contato com o nosso benfeitor, que está encarregado de conduzir-nos aos labores terrenos.

O novo amigo sorriu discretamente e ampliou os esclarecimentos, informando:

– Quando, no corpo somático, vivi o maior período da existência na região da Polinésia. Fiz parte dos conquistadores que, em nome da civilização europeia, se impuseram aos ilhéus de uma larga faixa dos mares do Sul...

"Guardando conceitos equivocados, considerávamo-nos superiores aos que chamávamos indígenas e, em nome dos nossos falsos valores, lutamos para aculturá-los com a nossa presunção de senhores do conhecimento.

"Ledo engano! À medida que convivíamos com eles descobrimos a sabedoria de que eram portadores, no seu aparente primitivismo. Encontramos, nos seus cultos, considerados grosseiros, informações profundas, que eram passadas de uma para outra geração oralmente e pelos trabalhos a que se afeiçoavam. Seus xamãs, em momentosas comunicações espirituais eram, ao mesmo tempo, sacerdotes e médicos, pensadores e sábios, conselheiros, administradores e psicólogos eficientes...

"Com eles tomamos conhecimento da interferência dos *mortos* na existência dos *vivos* e aprendemos que a terapia mais eficiente diante dos desafios do binômio saúde-doença é sempre o amor expresso no respeito recíproco e nos cuidados que são oferecidos por todos aos membros do clã.

"Com o suceder do tempo, optei por viver com a sua ingenuidade, assimilando os seus costumes e as suas habilidades...

"A existência tornou-se longa e proveitosa, permitindo-me amar sem condições e receber o tributo do respeito e do afeto dos seus sentimentos puros.

"A desencarnação de maneira nenhuma afastou-me da sua convivência, e agora, quando a desolação e a tragédia assolam, entre aqueles que muito lhes devemos, candidatei-me a participar de uma das caravanas de auxílio em nome da gratidão."

Calou-se, por um pouco, e, emocionado, concluiu:

– Sou o vosso irmão Charles White, de origem inglesa, que exercera a medicina convencional...

"Encontramo-nos em vossa Colônia, realizando um estágio, para o qual trouxemos diversos amigos, que vestiram a indumentária de diferentes nacionalidades, a fim de treinarmos técnicas de socorro especial com os vossos guias e podermos aplicá-las em nossa área de atendimento, conforme, logo mais, teremos oportunidade de o fazer.

"Indispensável que conheçais aqueles com os quais convivereis por um mês em atividade de amor, exercitando solidariedade na região que nos aguarda, no amado planeta terrestre.

"Sede bem-vindos à nossa caravana."

Ivon, logo depois, apresentou-nos jovem Espírito na feminilidade, que servia de auxiliar de enfermagem ao esculápio e mais dois outros dedicados servidores que se radicaram anteriormente nas Filipinas...

De imediato, estabelecemos laços de simpatia e amizade, desde que estaríamos juntos a partir daquele momento, abraçando as responsabilidades do Bem.

– Nosso empreendimento – explicou-nos o Dr. Charles – está dividido em duas fases: a primeira delas terá lugar na região do *tsunami*, e a segunda na psicosfera do Brasil, preparando as mentes e os sentimentos para as reencarnações especiais.

Depois de expor o projeto em que nos encontrávamos comprometidos, liberou-nos, estabelecendo as 18h, como a ocasião de ser realizada a viagem ao planeta amado.

A curiosidade espicaçava-me a mente, considerando a magnitude do labor desenhado, especialmente em razão da convivência que teríamos com Espíritos de culturas diferentes e hábitos com os quais não me encontrava familiarizado.

Os amigos filipinos logo se permitiram identificar: o mais idoso informou-nos haver sido sacerdote católico numa das muitas ilhas e chamava-se Marcos. Havia-se dedicado ao ministério da fé religiosa e à educação infantil, havendo desencarnado nos idos do ano de 1954 aos setenta anos de idade.

O outro, mais jovem e sorridente, vestia-se de maneira própria do seu povo, e logo se desvelou, elucidando que pertencia à religião muçulmana e era conhecido como Abdul Severin, que desencarnara vitimado por febre palustre aos 40 anos de idade.

A caravana, portanto, se constituía de membros de variada formação espiritual, que possuía como ponto comum de entendimento o amor que vige soberano no Universo, como uma das forças de equilíbrio cósmico, considerando-se ser de essência divina.

Por nossa vez, Oscar expôs a sua formação judaica, e nós outro referimo-nos à adoção do comportamento espírita.

De maneira comovedora demo-nos conta de pertencermos à mesma grei, conforme assinalou Ivon, jovialmente: O Bem Imarcescível!

Nossos diálogos prolongaram-se, enquanto o Dr. Charles e sua auxiliar Ana, de formação anglicana, providenciavam os equipamentos necessários à primeira fase das próximas atividades.

O padre Marcos, que conhecia a região que visitaríamos, esclareceu-nos que o insólito e trágico choque das placas tectônicas gerador das imensas ondas destrutivas, era aguardado, e que providências espirituais haviam sido tomadas, inclusive, construindo-se um posto de socorro espiritual sobre a região que sofreu mais danos decorrentes do epicentro da catástrofe.

Engenheiros e arquitetos desencarnados movimentaram-se com rapidez e edificaram uma comunidade de emergência, que a todos nos albergaria logo mais, recebendo também aqueles aos quais socorrêssemos.

Curiosamente ampliou os esclarecimentos, informando que os ocidentais em férias que se fizeram vítimas, mantinham profunda ligação emocional com aquele povo e foram atraídos por forças magnéticas para resgatar, na ocasião, velhos compromissos que lhes pesavam na economia moral...

– Nada acontece, sem os alicerces da causalidade! – concluiu.

Surpreso, perguntei-lhe como conciliava o conceito da reencarnação com os dogmas esposados pela sua formação católica.

Gentil e educado, esclareceu-me:

– O caro Miranda não ignora que as formulações da Verdade partem deste mundo real na direção da Terra, e que as religiões as vestem de superstições, de lendas e dogmas, conforme os níveis de consciência das criaturas que lhes aderem, velando umas e liberando outras. Nada obstante, quando retornamos ao país da imortalidade desaparecem as fórmulas, dando lugar ao surgimento da essência que logo assimilamos por afinidade e pela lógica do Bem universal.

Sorrimos, agradavelmente, e prolongamos a edificante conversação até duas horas antes de iniciarmos o novo empreendimento.

Ivon e nós outro, deveríamos participar da experiência iluminativa, como um estágio de aprimoramento espiritual, na região sofrida, acompanhados por Oscar, que se encontrava estagiando em nossa comunidade, para o mesmo empreendimento.

5

NOVAS EXPERIÊNCIAS

Após algum tempo de repouso e de meditação, deixei-me inspirar pela oração, entregando-me ao Senhor da Vida para o ministério que deveria exercer com os nobres Espíritos que logo mais visitaríamos a Terra.

Um balsâmico bem-estar inundou-me os sentimentos e não pude conter as lágrimas de alegria e de gratidão aos Céus, por permitir-me aprender no trabalho e com o exemplo dos mais abnegados.

Às 18h, encontramo-nos, e após uma oração pronunciada pelo Dr. Charles White, tomamos o veículo especial que nos conduziu à cidade de Sumatra, na Indonésia, considerado o quarto país mais populoso da Terra, que fora assolada entre outras cidades dos muitos países atingidos, onde deveríamos instalar-nos com os demais grupos que nos anteciparam. A cidade tivera mais de dois terços da sua área afetada pela inundação e pela destruição... Igualmente considerada o país mais populoso dentre os muçulmanos, seu povo, espalhado pelas inúmeras ilhas, não podia imaginar a grandeza da calamitosa ocorrência, por falta de comunicação entre aquelas de origem vulcânica e as outras de formação calcária...

Alguns Espíritos nobres acercaram-se da região no começo de dezembro, a fim de organizarem as comunidades transitórias para receberem os que desencarnariam em aflição, no terrível futuro evento sísmico.

Transcorrido algum tempo de viagem, chegamos à comunidade espiritual situada sobre a área tristemente atingida.

Embora houvéssemos acompanhado alguns lances da tragédia em nossa Colônia, podíamos agora ver diretamente os danos causados pela onda imensa e as que a sucederam, destruindo tudo com a velocidade e a força ciclópica do terremoto nas águas profundas do oceano Índico, e logo depois, as contínuas vibrações e seguidos choques destruidores.

A força tempestuosa espalhara-se pelas costas da Índia, do Sri Lanka, da Tailândia, das Ilhas Phi Phi, das Maldivas, de Bangladesh, de parte da África, embora com efeitos menores que alcançaram outras regiões do referido oceano.

Como resultado lastimável ocorreram alterações na massa terrestre, no seu movimento, na inclinação do eixo, que embora não registradas com facilidade pelos seus habitantes, foram detectadas por instrumentos sensíveis.

A primeira onda avassaladora ceifara mais de 150.000 vidas, enquanto as sucessivas carregadas de destroços de casas, barcos e construções de todo tipo, de árvores arrancadas e pedras, semearam o horror, arrasando as comunidades litorâneas...

A psicosfera ambiental era densa, denotando todos os sinais inequívocos das tragédias de grande porte.

Ouvíamos o clamor das multidões desvairadas, enlouquecidas pelo sofrimento decorrente da morte dos seres queridos, assim como em relação aos desaparecidos, à perda de tudo, vagando como ondas humanas sem destino.

De imediato, começaram a chegar as contribuições internacionais, porém, os instintos agressivos dominavam grupos de exploradores, de vadios e criminosos que se aproveitavam da oportunidade para ampliar a rapina e o terror.

Tempestades vibratórias descarregavam energias densas sobre o rescaldo humano e geográfico, confrangendo-nos sobremaneira.

Logo após encontrarmos o lugar que nos deveria servir de suporte para as incursões ao planeta, onde igualmente se alojavam outros grupos espirituais socorristas, o nosso gentil condutor explicou-nos qual a tarefa que deveríamos desempenhar naqueles primeiros minutos e, orientando-nos, mergulhamos na densa noite que se abatia sobre a região devastada.

Os corpos em decomposição amontoavam-se em toda parte, após ligeira identificação de familiares e a remoção de alguns para outros lugares, chamando-nos a atenção as fortes ligações espirituais mantidas pelos recém-desencarnados, que nem sequer se haviam dado conta da ocorrência grave. Imantados aos despojos, estorcegavam, experimentando a angústia do afogamento, as dores das pancadas produzidas pelos destroços, o desespero defluente da ignorância... De quando em quando escutavam-se preces e súplicas dirigidas a Alá, logo seguidas de blasfêmias e imprecações tormentosas.

Movimentavam-se muitos encarnados em atividades de auxílio, apesar da noite densa, demonstrando a solidariedade humana, inúmeros dos quais haviam chegado de outros países, especialistas nesse tipo de socorro, que se misturavam aos caravaneiros do Além, igualmente dedicados ao amor ao próximo.

O Dr. White caminhou entre os muitos destroços e cadáveres na direção de um grupo de desencarnados, que me fazia recordar uma alcateia de lobos famintos, ou chacais disputando os despojos das presas mortas... A balbúrdia era expressiva, e o pugilato entre alguns Espíritos era igualmente vergonhoso...

– Disputam as energias dos recém-desencarnados – elucidou o respeitável médico.

"Com essa atitude, agridem os Espíritos em desespero, que mais se apavoram e tentam absorver-lhes as *energias animais* de que se nutrem, iniciando o infeliz processo de vampirização. Identificando-se com aqueles cujas existências foram de irresponsabilidade, o que lhes permite a sintonia vibratória, buscam exauri-los, o que apressará a decomposição cadavérica, arrastando-os para regiões de desdita onde os submeterão a sevícias e exploração mental de longo curso.

"E como são profundamente infelizes, disputam as vítimas como fariam os animais ferozes com os despojos das caças que acreditam pertencer-lhes...

"Nosso compromisso de momento é afastá-los do local e tentar despertá-los para a sua realidade espiritual."

Aproximamo-nos, e a um sinal do médico, Abdul, que se encontrava com a indumentária muçulmana convencional, levantou a voz e recitou um *ayat* (versículo) de uma das *Suras* (capítulos) do Corão, em tonalidade ritmada, qual faria um *muzlim* no seu recitativo na torre da mesquita...

Com vibração especial e profunda, o amigo continuou emitindo o som que envolvia as palavras, e, subitamente, houve um silêncio aterrador, com os bandoleiros espirituais como que despertando da alucinação. Nesse momento, Ana aproximou-se carregando um archote que clareava o ambiente, erguido com o braço direito acima da cabeça e, tomados de espanto, os *vampiros* e exploradores pararam a agressividade.

Um deles destacou-se com o semblante fescenino e cruel, gritando que nada tinha a temer, e que todos se voltassem contra os invasores e os submetessem.

Abdul, porém, manteve-se irretocável, continuando a recitar o Livro, com respeito e seriedade, o que produzia impacto muito grande na massa alucinada.

Foi então, que o Dr. White explicou-lhes a ocorrência que tivera lugar pouco tempo antes, naquele dia 26 – era ainda dezembro – a partir das 8h da manhã, e todos eles, colhidos pela morte, necessitavam de justo repouso, assim como os seus despojos deveriam ser cremados coletivamente, a fim de serem evitadas as epidemias que sucedem após esses infaustos acontecimentos, recordando que já se anunciavam algumas...

Ante o espanto natural que tomou conta dos desordeiros espirituais, o padre Marcos tomou das mãos que pareciam garras de um deles, o Espírito que se debatia entre os fluidos materiais como resultado das ligações do perispírito ainda não totalmente interrompidas, o que lhe proporcionava angústias inenarráveis e o pavor pelo que experimentava decorrente do rude verdugo, que não resistiu ao gesto bondoso.

Observando os vínculos que se alongavam até um dos cadáveres em deplorável estado de decomposição, o religioso, com movimentos circulares, no sentido oposto aos ponteiros do relógio, trabalhou o *chakra coronário*, deslindando o Espírito que gemia e retorcia-se em agonias inenarráveis, até que as cargas densas e pútridas que eram eliminadas, a pouco e pouco foram diminuindo de volume e esgarçando-se até diluir-se totalmente. Vi, então, o desencarnado cambalear e desfalecer...

Ajudado por Ivon, o benfeitor retirou-o do magote, colocando-o a regular distância, em sono agitado, dando prosseguimento com outro infeliz.

O agitador que ameaçava Abdul, disparou em velocidade abandonando o grupo, enquanto o servidor do Bem continuava conclamando-os à paz, ao respeito pelas vítimas, à compaixão e misericórdia preconizados pelo seu livro sagrado.

Ato contínuo, embora prosseguisse a agressão de alguns mais rebeldes, seguimos a atitude do padre Marcos e procuramos atender alguns sofredores em comovedora aflição, que se libertavam das mãos perversas que os exploravam, trabalhando-lhes as fixações perispirituais, de modo a atenuar-lhes os sofrimentos acerbos... À medida que eram diminuídas as ligações com os cadáveres a que se encontravam imantados, experimentavam o torpor da desencarnação, entrando em sono agitado, típico das últimas imagens captadas antes da morte física...

Colocados um pouco distante da zona infectada pelos fluidos densos e danosos, grupos de padioleiros que se dedicavam a transferi-los para nossa comunidade espiritual temporária, conduziam-nos silenciosamente.

Enquanto ocorria essa atividade, Abdul falava diretamente com alguns obsessores e zombeteiros que se encontravam presentes, explicando-lhes o sentido da vida e as Leis que regem o Universo, naturalmente incluindo o sombrio mundo em que se agitavam tentando manter o mesmo comportamento vivenciado na Terra. Tratava-se da necessidade de transformação moral para melhor, a fim de poderem viver realmente, libertando-se da névoa que lhes entorpecia a inteligência e alucinava os sentimentos.

Conhecedor da alma humana, o hábil esclarecedor não se intimidava ante as ameaças de alguns seres hediondos que dele escarneciam, assim como de todos nós, gritando epítetos vulgares e aberrantes, ameaçando-nos de combate em defesa dos seus interesses.

Sem enfrentamento verbal ou mental, continuávamos cuidadosamente em nosso mister, diminuindo o número daqueles que se mantinham fixados nos corpos danificados, desejando reerguê-los, retomá-los, para prosseguirem na caminhada humana... Dando-se conta da impossibilidade, caindo na realidade que não desejavam aceitar, perdiam completamente a lucidez e atiravam-se de encontro ao solo ou uns contra os outros, revoltados e em pranto de agonia, impedindo qualquer ajuda de nossa parte. Era natural, portanto, que houvesse um ponto de contato que nos facilitasse a execução do mister a que nos dedicávamos.

Não existem violências nas Leis de amor, sendo necessária qualquer forma de identificação entre aqueles que necessitam e quem se predispõe a ajudá-los.

Eis por que, não poucas vezes, o sofrimento ainda é a melhor psicoterapia de que a vida se utiliza para despertar os dementados pelo prazer e os aficionados da crueldade.

O labor era exaustivo e de grande significado, porque o auxílio liberador a cada Espírito que se beneficiava com a dádiva do sono e a imediata transferência para um dos setores de auxílio em nossa Esfera, assinalava-lhe o novo caminho a percorrer, após despertar do letargo que passariam experimentando por algum tempo.

Momentos houve de agitação, porque alguns dos exploradores de energia recusavam ceder as suas vítimas ao nosso apoio, altercando e apresentando-se em condições próprias para um pugilato *físico*, distante de qualquer método de equilíbrio.

O Dr. White, porém, comunicava-se mentalmente conosco, estimulando-nos ao prosseguimento, aproveitando-se da indecisão de alguns verdugos, vinculando-nos a Jesus no Seu ministério de amor junto aos obsidiados a quem socorrera, usando da Sua autoridade, e, desse modo, continuamos.

A patética da gritaria infrene e da desolação em volta comovia-nos, no entanto, não podíamos deslocar-nos mentalmente da atividade que nos dizia respeito naquele reduto de putrefação e loucura.

Atendendo a uma mulher desvairada que segurava uma criança também lacrimosa e inconsolável, percebi-lhe a alucinação defluente do momento em que se desejou salvar com a filhinha de poucos anos de idade, buscando a parte superior da casa em que viviam, e a onda arrancou-a dos alicerces despedaçando-a e esmagando contra os destroços ambos os corpos. Podia-se ver-lhe os registros na mente alucinada... Não parava de gritar suplicando socorro, acreditando-se, como realmente se encontrava, perseguida por seres demoníacos que a desejavam submeter...

Tocando-lhe a fronte espiritual e emitindo sucessivas ondas de amor e de paz, percebi que me captava o pensamento e, porque estivesse estimulada à fé religiosa, pôde perceber-me em seu e no auxílio à filhinha, deixando-se conduzir para fora do círculo em que se encontrava aprisionada, embora ainda vinculada ao corpo reduzido a frangalhos. A pequenina encontrava-se livre da injunção perispiritual da matéria, e logo asserenou-se ao receber as vibrações que se exteriorizavam deste servidor em sua direção.

Ivon veio em meu socorro e começamos a concentrar a nossa atenção nos laços que a mantinham presa ao veículo carnal sem qualquer utilidade naquele momento. Algum tempo depois, após conseguirmos esgarçar as *ataduras* energéticas entre o Espírito e a matéria, por fim, acalmou-se, deixando-se conduzir, enquanto chorava comovedoramente, lamentando o acontecimento da desencarnação de que se dava conta.

Buscamos falar-lhe de imortalidade através do pensamento que ela captava, apresentando-lhe a filhinha de quem deveria cuidar, prosseguindo como se estivesse na Terra e preparando-se para auxiliar aos demais familiares que, se não estivessem conduzidos pelo carro da morte, muito necessitariam da sua cooperação para poder continuar no processo de recuperação nos dias porvindouros.

Convidada à reflexão da família, o instinto maternal apresentou-se-lhe mais forte e ela acedeu em acalmar-se. Conseguiu locomover-se, embora com alguma dificuldade, abraçando a criancinha que adormecera no seu regaço, e a conduzimos a um grupo de auxiliares especiais que, a partir daquele momento, se encarregariam das providências compatíveis com o seu estado.

Ainda não víramos tudo de que a natureza humana é capaz enquanto lhe predominam as forças brutais do primarismo.

Estávamos absortos no atendimento daquela mole sofrida, quando alguns indivíduos, ainda reencarnados, começaram a remover os corpos sem qualquer consideração, aproveitando-se das sombras terríveis da noite.

– Trata-se de assaltantes de cadáveres – informou-nos Dr. White – que os estão vasculhando em busca de qualquer coisa de valor, considerando-se que a morte os surpreendeu num momento de atividade normal, sem aviso prévio.

"Embora as autoridades estejam tentando pôr ordem no caos, os infelizes aproveitadores recorrem a todos os expedientes possíveis, objetivando lucrar com a desdita dos outros. Removendo os cadáveres em putrefação, não receiam contaminação de alguma natureza e suportam os odores terríveis dominados pelo álcool que antes ingerem e pela ambição desmedida de amealhar algo para os prazeres degradantes.

"Continuemos sem prestar-lhes atenção, desde que estamos em campos vibratórios muito diferentes."

6

O SERVIÇO DE ILUMINAÇÃO

As horas sucediam-se lentas e pesadas. O grupo que atendíamos era constituído por quase mil vítimas da tragédia sísmica. Aparentemente pequeno era o resultado do nosso esforço, embora nos encontrássemos empenhados com carinho na execução da atividade que nos foi reservada.

A noite tornava-se cada vez mais pavorosa do ponto de vista humano, em razão dos horrores que se manifestavam sem cessar.

Na esfera física, a procura de cadáveres para identificação era afligente, porque as pessoas choravam e imprecavam sem lucidez em torno do que exteriorizavam. Era uma catarse coletiva sob a inclemência das sombras tormentosas.

Do nosso lado, não era menos angustiante a paisagem espiritual.

Ana continuava a manter o archote aceso derramando claridade no local sombrio e truanesco. Em determinado momento, escutamos uivos arrepiantes e vimos em movimento uma densa formação agitando-se e aproximando-se como se empurrada por ventos suaves, imperceptíveis para nós outros... Ao acercar-se, pudemos ver em hediondez diversos Espíritos com fácies e formas lupinas como se estivéssemos em um cenário de imaginação doentia, observando antigos seres humanos que se fizeram vítimas da zoantropia. Com aspectos repelentes e hórridos, eliminavam baba pegajosa pelas bocas escancaradas e os olhos brilhantes procuravam os cadáveres cujos Espíritos estávamos libertando.

Subitamente tentaram atirar-se sobre um dos montes de membros e corpos misturados, como se estivessem esfaimados.

Nesse comenos, Dr. White sinalizou ao padre Marcos que, rápido e seguro, desdobrou uma rede de fios luminosos e de ampla proporção, no que foi auxiliado por Ivon e Oscar, atirando-a com habilidade sobre o monturo fétido... De imediato, pudemos perceber que se tratava de uma defesa magnética, irradiando energia especial que apavorou os agressores, que certamente a conheciam, fazendo que se afastassem em tropel rápido, sem maiores perturbações para o nosso labor.

Fora a primeira vez que me deparara com cena de tal porte.

Percebendo-me as interrogações mentais, o hábil diretor veio-me em socorro, explicando-me:

– Trata-se de Espíritos muito infelizes, cujas existências na Terra foram terrificantes e que construíram as aparências perversas atuais como decorrência do mal que praticaram indiferentes ao sofrimento que causavam. Haviam perdido a sensibilidade do amor e, por isso mesmo, deformaram psiquicamente o perispírito que, após a desencarnação do corpo somático, encarregou-se de modelá-los conforme se encontram. Sucede que a única diferença em relação aos demais casos de zoantropia, é que, normalmente, a ocorrência é individual, no entanto, porque constituíam um grupo asselvajado que laborava em conjunto, o fenômeno alcançou-os a todos, neles plasmando a deformidade lupina que os faz temerários, imprimindo-lhes as *necessidades alimentares* típicas do gênero *canis lupus*, mantendo a mente entorpecida... Por automatismo, prosseguem na sanha do desequilíbrio até o momento quando a misericórdia de Deus deles se compadeça e sejam recambiados às reencarnações expiatórias muito dolorosas...

"A mente é sempre a geradora de bênçãos ou de desditas, porque dela procedem as aspirações de uma assim como de outra natureza. Quando as criaturas humanas considerarem a força do pensamento que procede do ser que são, haverá mudança radical de comportamento moral e social, dando lugar às conquistas relevantes da imortalidade triunfante.

"Por enquanto, é natural que o processo ainda se encontre em fase preparatória, dando lugar às aberrações que tomam corpo no mundo físico, caracterizando a decadência dos valores éticos e morais, nas esperanças de felicidades que soçobram no mar encapelado das paixões.

"Não são poucos, no campo das comunicações, na Terra, os decantados *multiplicadores de opinião*, que sintonizam com as Entidades bestializadas, que os submetem ao talante das suas aberrações, durante largos períodos de desdobramento pelo sono fisiológico, imprimindo profundamente no cerne do ser de cada um, a devassidão, o desvario, a degradação moral. Retornando ao corpo somático, recordam-se das experiências viciosas em que se comprazem e estimulam os seus aficionados, cada vez mais, à luxúria, ao sexo açodado pelas drogas alucinógenas, pelo álcool, pelas substâncias farmacêuticas estimulantes...

"Não seja de surpreender a debandada das gerações novas para as músicas de sentido infeliz, nos bailes de procedência primária e sensualidade, onde a perversão dos sentimentos é a tônica, e o estímulo à violência, à rebeldia, à agressividade constitui o panorama da revolta, afinal contra o quê? Tornam-se adversários do denominado contexto, em vez de desenvolverem os valores dignificantes para melhorá-lo, mergulham fundamente nas paixões mais vis, tornando piores para eles mesmos e para os outros os dias que enfrentam... Fogem, então, para a consumpção por meio das drogas, da exaustão dos prazeres sensuais e perversos.

"De pequena monta a contribuição da responsabilidade e do dever, ainda distantes de serem avaliados devidamente. Essa tarefa libertadora, sem dúvida, cabe à educação das novas gerações, a fim de que sejam criados novos hábitos de convivência e de comunicação saudável, dando lugar ao desenvolvimento das forças vivas do Bem inatas em todos os indivíduos.

"Podemos ver aqui as paisagens defluentes dessas condutas arbitrárias e deslocadas no tempo e no espaço, transformadas em sofrimentos de longo prazo, que o amor irá modificar no momento próprio."

Não havia oportunidade para mais esclarecimento e divagações sobre o tema relevante, porque agora *chovia* energia causticante, que fazia lembrar os raios durante as tempestades, aumentando as dores das vítimas de si mesmas, arrebatadas do corpo pela desencarnação em massa.

Curiosamente relampejava na sombra temerária, e essas claridades eram psíquicas, que predominavam na região mesmo antes do acontecimento terrível.

Turistas de diversos países europeus, especialmente nórdicos e americanos, franceses e alemães, escolhiam aquelas regiões para os prazeres do corpo sem qualquer compromisso com a beleza das paisagens dos mares do sul, com a sua natureza ainda semipreservada... Muitos viajavam para aqueles paraísos, quais a Tailândia, as ilhas Maldivas, as ilhas Phi Phi e outras, para desfrutarem das facilidades morais, sexuais, de jovens adolescentes vendidos pelos pais irresponsáveis ao comércio da licenciosidade... Hábitos ancestrais ainda vigentes de total desrespeito pela mulher e pelo ser humano, facultavam a larga prostituição de meninas e de meninos que serviam de mascotes aos ocidentais que os podiam comprar a preço bastante acessível para eles.

Ao longo dos últimos anos, as mentes geraram essa psicosfera doentia nas regiões agora afetadas pela calamidade que teve uma função purificadora para toda a região, alterando os costumes e propondo novos comportamentos morais pela dor, advertindo a respeito da fragilidade e temporalidade da vida orgânica, e que, infelizmente, ainda não apresentava qualquer possibilidade de melhora. Pelo contrário, aconteciam a revolta, o suborno, o desvio dos auxílios internacionais, a dominação dos mais fortes sobre os mais fracos, que ficariam à mercê da própria sorte em relação ao futuro sombrio em cujo rumo avançavam.

Como as religiões lentamente estavam perdendo prestígio, mantendo regras de comportamento na teoria e mancomunando-se com os poderes temporais indignos, as criaturas encontravam-se sem norte, vagando nas ocorrências mais apetecidas e menos laboriosas... O dinheiro fácil era o que lhes importava, a fim de saírem da miséria financeira e embriagarem-se no consumismo devastador.

Como faz falta a presença de Jesus no mundo, assim como dos Seus embaixadores que, através dos tempos, vieram preparar-Lhe o advento!

As Suas propostas ricas de ternura e de esperança, de consolo e de amor ainda não conseguiram penetrar realmente nos Seus seguidores, menos ainda naqueles que O não conhecem, dando lugar às loucuras do imediatismo, do desgaste emocional e moral nos jogos dos desejos infrenes. A iluminação espiritual é trabalho de largo porte, que exige abnegação e devotamento, compensando através da paz que proporciona e da alegria de viver sem condicionamentos extravagantes nem dependências doentias.

Empenhados na atividade especial de ajuda aos irmãos aflitos, sucediam-se os quadros de dor, cada qual específico, em razão de cada pessoa ser única e especial, seus problemas e ambições muito próprios, caracterizando-lhe o nível de evolução.

Abdul, suavemente iluminado, podendo ser percebido pela maioria dos Espíritos perversos que disputavam as carcaças humanas e tentavam submeter os seus antigos hóspedes físicos, continuava no recitativo do Alcorão, suplicando, vez que outra, a ajuda dos Céus para os sofredores e seus algozes.

Subitamente, no círculo de aflições, destacou-se uma mulher de olhar esgazeado que procurava a mãezinha, também vítima da catástrofe. Gritava, já afônica, pelo nome da genitora, tentando desembaraçar-se do corpo sem o conseguir, constrangendo-nos de imediato.

Acerquei-me, paciente e compadecido, podendo ler no seu pensamento o drama que experienciava e a dor imensa que a consumia.

Estava atendendo a senhora idosa enferma, quando a onda imensa arrancou-lhe a casa do solo, levando-a de roldão com os coqueiros e outras árvores de grande porte, despedaçando tudo à frente.

A morte de ambas foi imediata, e logo despertou agônica entre as ruínas do que fora o lugar em que vivia. Não se apercebeu da situação, pois que, para ela, o dia não raiara, ainda tomado pelas sombras decorrentes das vibrações ambientais pesadas, entregando-se ao desespero em busca da anciã...

Fortemente ligada ao corpo, tentava sair do lugar sem o conseguir, em desespero crescente.

Naquele momento, algo de belo sucedeu, porque na densa escuridão surgiu a mãezinha liberada do corpo físico e, lúcida, assistida por nobre amigo desencarnado que a conduzia, ajudando-a a acercar-se da filha alucinada. Vendo-nos em processo de auxílio e esclarecida pelo seu mentor espiritual, sorriu, e tentou agradecer sem palavras a nossa presença. Ato contínuo, abraçou a filha totalmente desequilibrada e começou a cantar uma doce melodia que falava de esperança, de alegria e de reencontro. A jovem espiritual acalmou-se, a pouco e pouco, enquanto era embalada, logo adormecendo.

Foi então que oferecemos o nosso contributo para a técnica da libertação dos despojos físicos, cujas últimas energias foram absorvidas pelo Espírito que se recolheu no regaço maternal.

As doces vibrações da senhora e a sua destacada estatura espiritual irradiavam-se, invadindo o organismo perispirítico da filhinha, que foi conduzida a outra esfera que não aquela à qual nos vinculávamos...

O trabalho prosseguia sem cessar.

Embora o Sol abençoasse a imensa área logo ao amanhecer, do nosso lado continuavam as trevas densas e as aflições sem nome, aguardando o sublime contributo da iluminação espiritual.

7

O AMOR COMO FORÇA DIVINA

Prosseguíamos na atividade por quase vinte horas ininterruptas e preparávamo-nos para o retorno à nossa comunidade espiritual para um breve repouso.

Abdul silenciara o seu canto oracional e se encontrava em profunda meditação, permitindo-se irradiar diáfanas energias que diluíam lentamente a densa treva que o archote conduzido por Ana iluminava parcamente.

Nesse momento, aproximou-se um grupo de Espíritos agressivos como uma organização de bandidos desencarnados, quando, um deles, que parecia o chefe, bradou, estentóreo, interrogando:

– Quem é o responsável pela invasão desta área?

Dr. White aproximou-se sem alarde e explicou que ele era o encarregado de realizar o labor de atendimento àqueles desencarnados em aflição, acompanhado pelos amigos que o assessoravam.

Elucidou que não houvera acontecido qualquer tipo de invasão, considerando-se que aquela era *uma terra de ninguém*, desde quando fora vergastada pela tragédia coletiva que sobre ela se abatera...

Não pôde prosseguir, porque o arrogante, que se vestia de maneira típica das gangues regionais das grandes urbes, cortou-lhe a palavra com grosseria:

– Pois saiba que esta área a mim me pertence, portanto, tem proprietário, desde muito antes do a que você se refere como catástrofe. Fui informado por um dos meus subalternos, vigilante a meu soldo, sobre as ocorrências que me interessam e que daqui foi enxotado, fazendo-o correr, esclarecendo-me que estranhos invasores de outro lugar haviam-se apossado do nosso território...

"Chamado nominalmente para resolver a prebenda, venho com os meus servidores exigir-lhes o abandono das ações não solicitadas."

Calmamente, o médico respondeu que ai se encontrava atendendo ao apelo dos Guias espirituais do país, que haviam recorrido à ajuda de todos quantos o desejassem, de ambos os planos da vida, a fim de serem diminuídas as aflições defluentes da tragédia coletiva.

E esclareceu:

– Seu apelo havia chegado à nossa comunidade, conforme ocorrera com muitas outras, quando se ouviu o som de uma corneta que tocava a música *Silêncio*, expressando a dor que se abatia sobre milhares de vidas no planeta terrestre... Apresentamo-nos ao nosso governador e fomos autorizados a participar do ágape da solidariedade com os irmãos sofredores que estamos atendendo...

– Isso, porém – interrompeu-o novamente com atrevimento – não justifica a sua e a intervenção nefasta dos demais, estrangeiros que são, em nossos negócios, desconhecedores dos nossos hábitos e costumes. Desde a época da colonização holandesa aqui, através da Companhia das Índias, no século XVI, que nos rebelamos, os nacionais, contra os invasores de nossas terras... Timor Leste, dominada pelos portugueses, há séculos, ainda se encontra atravessada em nossa garganta... A morte não nos interrompeu os ideais libertários, e embora tenhamos retornado ao solo amado, pelos renascimentos corporais, volvemos às origens, para daqui defendermos os nossos direitos de construir a nacionalidade com as nossas próprias emoções...

"Assim sendo, continuaremos a libertar nosso povo que tem sido vítima da intervenção alienígena, pagando qualquer preço. Não há muito, governos perversos e piores do que nós, entregaram-nos ao ocidente, em cuja interferência teve papel destacado o Japão, gerando mais infelicidade e enriquecimento ilícito dos seus chefes, tanto o que dominava antes, quanto aquele que o derrubou ferozmente, sem nenhuma consideração pelos ideais nacionais.

"Somos, portanto, nós, os indonésios, que temos o direito de aplicar a justiça, através dos nossos métodos disciplinadores e punitivos, naqueles que são expulsos do corpo pelo fenômeno da morte..."

– Compreendo a sua colocação patriótica – informou o nobre mentor – no entanto, as fronteiras a que você se refere, ficaram na geografia terrestre que não é abrangida por esta área, afinal todas de propriedade divina.

"Ouvindo-se o amigo expor o seu pensamento, tem-se a impressão de tratar-se de um benfeitor do povo sofrido, quando em verdade é um explorador impenitente das energias dos trânsfugas que lhe tombam nas armadilhas perversas, sendo arrastados para os lugares de profundo sofrimento, distantes da esperança e da misericórdia. A isso chama de justiça, de disciplina? Como se atreve a tomar a adaga da justiça real nas próprias mãos, se ainda não consegue dominar os ímpetos asselvajados que lhe constituem o caráter enfermo?

"Aqui estamos a convite dos reais governadores do país, portanto, dos respeitáveis embaixadores de Deus, com o objetivo de desalgemar os irmãos infelizes dos seus despojos e libertá-los dos *vampiros* do Além-túmulo, e tenha certeza de que não arredaremos pé dos nossos compromissos, confessando-lhe que, de maneira alguma, temos medo das suas ameaças e da farândola que o acompanha temente e assustada..."

O estúrdio expressou o ódio que o dominava, arengando:

– Essa tarefa pertence-nos a nós, que utilizamos os nossos métodos conforme as leis que vigem cá, sem a necessidade de qualquer contributo de violadores dos direitos alheios. Saberemos expulsá-los dentro de alguns minutos...

Com a expressão asselvajada, segurando um feroz mastim e aplaudido pela malta insana, que tocava tambores e sons estranhos com tubos perfurados, impôs, ríspido:

– Agora suspendam as ações e acabem com os seus arenzéis, batendo em retirada. Deixem os nossos pacientes aos nossos cuidados, conforme sempre sucedeu, pois que sabemos tomar conta de todos eles.

... E gargalhou sardônico, esfogueado, transtornado.

Sem apresentar qualquer emoção perturbadora, Dr. White enfrentou-o, elucidando:

– O caro amigo encontra-se totalmente equivocado a nosso respeito, porquanto não o tememos e menos o obedeceremos. Iremos prosseguir em nossa faina fraternal e ficaríamos, aliás, muito gratos, se o seu grupo se diluísse, e aqueles que o desejarem queiram auxiliar-nos na empresa em que nos encontramos envolvidos.

O carrasco zombou, cínico, e arremeteu, furibundo:

– Atacar! Dizimemos os impostores e ladrões!

Como se aguardasse essa reação, o nobre médico concentrou-se profundamente diante dos agressores e, naquele horrendo chavascal, transformou-se numa lâmpada esparzindo claridade que fez estacionar a horda que erguia os seus instrumentos de guerra: flechas, azagaias, lanças e outros de apresentação exótica...

Tomados de surpresa, ouviram sua voz profunda e melodiosa, enérgica e poderosa, no seu próprio dialeto:

> *– Arrependei-vos e dobrai-vos à vontade do Senhor dos Mundos.*
>
> *Chega o momento, em vosso desvario, que somente se apresenta uma alternativa para escolher: abandonardes o ódio e a perseguição desditosa para abraçardes o amor.*
>
> *Escoam-se os anos e permaneceis hostis ao Bem e à Verdade.*
>
> *Vossa impiedade transborda, e vossa loucura, ao invés de inspirar temor ou ódio, provoca a compaixão.*
>
> *Decênios se passaram desde que aderistes à loucura que cultivastes nos regimes da impiedade que infelicitou vosso povo, transferindo-o para além-da-morte, de modo que permanecestes sicários dos vossos irmãos igualmente infelizes, a salvo da vossa crueldade e loucura.*
>
> *Ouvi-me! Sou a voz da vossa consciência anulada pela desesperação, que perdeu o uso da razão, mas que necessita libertar-se.*
>
> *Agora é o vosso momento de alegria e emancipação.*
>
> *Silenciai o ódio nos sentimentos, deixai o medo dos infelizes que vos intimidam e vinde para as nossas fileiras, as do Bem...*

Enquanto a voz, firme e doce, penetrava a acústica das almas, vimos cair sobre o tremedal bátegas de luz, não mais os raios destrutivos de antes, e que tocando aqueles rebeldes penetrava-os, provocando mudanças interiores, levando-os ao pranto e a exclamações lamuriosas.

> *Libertai-vos do mal* – prosseguiu o instrumento da Verdade – *e adotai o amor a vós mesmos, inicialmente, para depois poderdes amar o vosso próximo e, por fim, a Deus. Sois todos, como nós outros, filhos do mesmo Pai Generoso que vos espera compassivo. Este é o vosso momento de renovação, aproveitai-o com decisão e coragem de romper as amarras da ignorância e da perversidade que vos têm infelicitado por tão largo período.*

Ao silenciar, num clima psíquico e emocional superior, os desditosos atiraram ao solo as armas que brandiam e, dominados pela força do amor, pediam amparo e adesão à nossa hoste, passando para o lado em que nos encontrávamos, subitamente envolto pela claridade suave que se dilatava do Mensageiro da Luz...

Blasfemando, o chefe do grupo ordenava que soltassem os cães contra os desertores e nós outros, ou que disparassem os seus dardos e flechas, inutilmente, porque a debandada foi geral.

À medida que mudavam de lado, atirando-se aos nossos braços acolhedores, dilatava-se a faixa vibratória defensiva que nos resguardava de qualquer tipo de agressão externa.

> *Vinde, também, vós que estais sedento de luz e de amor* – dirigiu-se ao chefe aturdido.

Nada obstante, apresentando a fácies de horror, o desditoso comandante emitiu um estranho ruído e, num esgar pouco comum, após tremer como varas verdes, foi tomado por uma convulsão semelhante à epiléptica, estertorando, e tombou, literalmente, no solo.

... Alguns dos seus subordinados, que seguravam os cães e os instrumentos de guerra, aparvalhados com o que acontecia, debandaram em ruidosa correria, gritando desesperadamente.

Logo após, fez-se silêncio, somente interrompido pelo aluvião do choro convulsivo dos candidatos à renovação.

Suavemente, o Guia retomou a postura anterior e, bem-humorado, afirmou:

– Jesus sempre vence!

"Temos muito serviço pela frente. Recambiar os nossos irmãos assustados à comunidade própria para agasalhá-los, é o nosso dever.

"Irei recorrer ao auxílio de outros grupos especializados neste tipo de socorro, que operam nesta área.

"O amor é força divina que sempre triunfa!"

8

SOCORROS INESPERADOS

O incidente inesperado colheu-nos de surpresa que, certamente, não o fora para o nosso mentor, em razão da sua admirável faculdade premonitória.

Investido de uma tarefa de tal envergadura, somente a pouco e pouco, ia-se desvelando em relação ao nosso grupo.

A informação sobre a solicitação dos Guias da Indonésia, pedindo auxílio espiritual às comunidades do Além, também soou-nos de forma agradável e iluminativa. Como realmente não existe o acaso, todos os labores edificantes são pré-organizados, estudados com cuidado, examinadas as possibilidades de êxito ou de fracasso, e quando começam, o plano avança com segurança e metas bem definidas.

Realmente, recordava-me de quando soaram as cornetas em nossa Colônia, naquela manhã de 26 de dezembro e todos nos recolhemos à oração, porque, de imediato, o nosso serviço de comunicações informou-nos sobre a grande tragédia, facultando-nos acompanhar os infaustos acontecimentos. Ignorava, porém, os cuidados estabelecidos pelos Mentores e a solicitação de ajuda solidária no mundo espiritual.

Comovido ante a sabedoria divina e o intercâmbio que existe em toda parte em nome da solidariedade universal, pus-me a observar os Espíritos aflitos que se deixaram cooptar pela palavra sábia do orientador, ansiando pela própria renovação, e agora dependiam dos esforços do nosso grupo.

Dr. White fora tomar providências com organizações especializadas na ajuda a esses arrependidos que se apresentavam assinalados por graves enfermidades psíquicas e emocionais. Os *corpos* denotavam os sofrimentos experienciados pelos contínuos anos de martírio e dependência dos verdugos que os maltratavam, reduzindo-os à condição de escravos das suas paixões.

Agora, que começaram a mudar de atitude mental, começaram a perceber o estado deplorável em que se encontravam, passando a sofrer os dardos ultrizes das enfermidades que os haviam ceifado a existência física, assim como as marcas profundas dos distúrbios ocasionados pela insânia que se permitiam... Ademais, em razão do comportamento infeliz, cada perispírito assinalava os sentimentos ultrizes antes vivenciados e agora exteriorizava-os em forma de úlceras pútridas, deformações e amputações de membros, que se encontravam envoltos em vibrações escuras de baixo teor.

Olhando-os, com misericórdia e carinho, constatávamos como somos o fruto daquilo que cultivamos mentalmente.

Reunidos em uma faixa especial, a fim de que não se misturassem aos demais que estavam despertando do torpor da desencarnação, choravam uns, outros permaneciam hebetados, diversos apresentavam-se enlouquecidos, formando uma hoste de desditosos que rebolcavam nas aflições inomináveis que os mortificavam.

Bailavam na minha mente algumas interrogações a respeito do diálogo mantido pelo Dr. White e a legião de agressivos.

Ao primeiro ensejo, indaguei ao gentil orientador:

– Tendo-se em mente que os indigitados irmãos que vieram agredir-nos estavam estruturados na linguagem nacional, não entendendo outro idioma, como foi possível travar-se o diálogo vigoroso que tivéramos ocasião de ouvir?

Sem demonstrar enfado, o querido amigo explicou-nos:

– Utilizei-me da onda mental sem a sua verbalização em palavras. Em face das circunstâncias e do pensamento que a elaborava, os irmãos aflitos *escutavam* na sua língua de comunicação habitual, por estarmos vibrando na mesma faixa de pensamento. Por outro lado, os amigos do nosso grupo, por sua vez *ouviam* o diálogo no idioma com o qual nos comunicamos, qual ocorre em nossos contatos íntimos. Constituindo um grupo de Espíritos procedentes de países diferentes, a nossa comunicação é mental, sem a necessidade da expressão oral, formulada nos padrões de cada idioma.

"A linguagem do Universo é o pensamento que modula as expressões de acordo com a captação de cada ouvinte. Essa tarefa de interpretação da linguagem é característica do perispírito que armazena as matrizes idiomáticas dos países por onde transitamos nas diversas existências corporais. Mesmo quando estamos diante daqueles que procedem de regiões pelas quais não passamos no percurso das reencarnações, a sua mente capta a onda emitida e a decodifica. Tudo ocorre com automatismo e naturalidade, sem que haja esforço de quem quer que seja. Nada obstante, quando ocorre uma sintonia por ideias, interesses ou anelos, o fenômeno se torna mais eficiente e mais rápido.

"Na discussão que travamos com o chefe da grei rebelde, usamos as formulações da língua inglesa que eram captadas no indonésio, no português, no filipino, portanto, igualmente pelo nosso grupo de cooperadores procedentes dos países que se comunicam nesses idiomas."

Depois de uma breve pausa, concluiu:

"Imaginemos uma orquestração sinfônica que nos alcança os ouvidos acompanhada por um coral que se expressa em determinado idioma, e constataremos que registramos a música e as vozes, penetrando no seu conteúdo, embora sem compreender as palavras que os cantores enunciam. O importante são o conjunto melódico, a emoção que nos desperta, a alegria que nos invade e o imenso bem-estar defluente do seu efeito musical."

O momento não permitia ampliação do diálogo, porque, naquele instante, havia parado a regular distância um veículo do qual saltaram alguns lidadores do Bem que se aproximaram, apresentando-se ao Dr. White.

Tratava-se da ajuda solicitada aos responsáveis pelo acolhimento e cuidados em relação aos irmãos arrependidos que se haviam proposto renovação e entendimento.

Diversos desses operários da caridade adentraram-se em nosso campo de socorro e passaram a assistir os sofredores, conduzindo-os, um a um, ao transporte que pairava no ar, a um metro, mais ou menos, acima do solo. Alguns se movimentavam com dificuldade, embora a assistência recebida, logo sendo acomodados, num total de oitenta...

O responsável pela condução agradeceu ao nosso mentor e, de imediato, a nave decolou com velocidade, seguindo o roteiro estabelecido.

Sentia-me edificado ante a misericórdia divina que luz para todos, sempre ao alcance de quem a deseja receber.

Ao meu lado, o amigo Ivon Costa considerou a sabedoria divina e a constituição do amor vibrante em toda parte, como sua mais bela manifestação.

Menos de duas horas antes, aqueles irmãos recolhidos acreditavam-se pertencentes ao submundo infeliz da erraticidade inferior, lutando contra as leis soberanas, embora a elas submetidos, enquanto que, agora, rumavam na direção da felicidade que haviam desdenhado por décadas de loucura e de ignorância.

Simultaneamente, os irmãos recém-despertos pela nossa atividade, encontravam-se em área próxima, sobre um gramado verdejante e podiam desfrutar da claridade do dia que lhes chegava tênue, embora a sombra predominante próxima dali...

Por sua vez, eram recambiados para a Colônia de refazimento, graças à abnegação de inúmeros servidores polinésios, alguns procedentes de ilhas remotas, que eram tidos como primitivos. Generosos e ingênuos, dedicavam-se com alegria infantil ao socorro dos nossos irmãos vitimados, entoando algumas das canções sentimentais das terras que habitaram antes da desencarnação... Vestidos com simplicidade e usando barretes coloridos, as suas roupas davam-lhes uma beleza singela e harmoniosa.

Pequenos tremores ainda aconteciam sob as águas profundas do Oceano Índico, sem que novos danos ocorressem na superfície.

Dr. White convidou-nos ao retorno à nossa sede, por algum tempo, e usando a volitação com todo o grupo, chegamos à comunidade que se encontrava em movimentação. Era mais um imenso hospital a céu aberto e com alguns pavilhões onde eram recolhidos os pacientes mais agitados, do que um lugar de repouso. As vibrações ambientais eram benéficas, proporcionando o refazimento emocional que o desgaste natural na faixa em que estávamos laborando se fazia forte.

Dirigimo-nos, imediatamente, ao núcleo de acolhimento que nos fora reservado, e após ouvirmos as recomendações do benfeitor, que nos recomendava quatro horas de revigoramento, de prece e de reflexão, liberou-nos para o repouso necessário.

Encontrava-me comovido ante as messes de misericórdia com que me sentia agraciado.

Enquanto mourejava na Terra, abraçando a Doutrina dos Espíritos, tentava compreender como seria a vida fora da vestimenta carnal, sem o conseguir em plenitude. Por mais que a imaginação procurasse encontrar parâmetros para facultar-me o entendimento, tudo quanto lograva conceber era muito pálido em relação à realidade, na qual ora me encontrava.

É muito difícil estar-se mergulhado no mundo dos efeitos, tentando entender as causas, qual acontece com o conteúdo de qualquer natureza, que procure imaginar como será o continente que o guarda...

A constatação é de que somente há vida em toda parte, movimento e ação, sendo a Terra uma pobre cópia daquele admirável mundo pulsante, permanente, de onde nos originávamos.

Orei, então, em favor dos irmãos em processo de renovação, aqueles que se haviam rebelado contra os divinos códigos e se encontravam de volta como náufragos vencidos, mas sobrevivendo... Ao mesmo tempo, recordei-me dos outros, aqueles que se fixavam pela mente e pela conduta às vestes materiais que a morte ia consumindo e desejavam restaurar-lhes as funções, tombando em estados de loucura e de desânimo.

Suave paz dominou-me, arrebatando-me pelo sono, facultando-me um sonho feliz em região de beleza quase inimaginável.

Ali, tudo eram sons e harmonias. O vento, que perpassava pelo arvoredo, as flores que desabrochavam emitindo musicalidade especial, as mais diversas expressões da Natureza em festa sonora, aves de plumagem inigualável e os céus infinitamente azuis, como se o zimbório fosse um grandioso recinto no qual se movimentavam milhares de seres luminosos em atividade ordenada e quase mágica, emocionavam-me...

Automaticamente acompanhei pequeno grupo que se dirigia a uma construção ultramoderna de substância transparente como a dos atuais edifícios das grandes cidades, porém, mais delicada, e adentramo-nos num recinto que parecia um templo gótico onde se celebrava uma solenidade religiosa. Destituída de qualquer simbolismo, a nave nua era revestida de vibrações sonoras e coloridas, filtradas por imensos vitrais, que lhe davam uma beleza especial, singular.

As pessoas encontravam-se reunidas com júbilo na face, quando passamos a escutar um ser angélico portador de grande beleza, que abordou um tema sobre a solidariedade universal.

Ouvindo-o, embevecido, a musicalidade da sua voz penetrava-me o Espírito mais pela emoção do que pelas palavras articuladas, que me pareciam um canto sinfônico.

Seria muito difícil traduzir tudo quanto era exposto, porque o objetivo era introjetar nos ouvintes os sentimentos de amor profundo, em vez das expressões que se confundiam com a melodia ambiental.

Encontrava-me deslumbrado, quando suavemente retornei, despertando e mantendo as impressões incomparáveis daqueles momentos de desdobramento e visita a alguma região feliz a que ainda não tivera acesso por falta de méritos compreensíveis.

Amanhecia em nossa comunidade e, com o coração pulsante de felicidade, busquei os demais amigos para as novas tarefas.

9

DESAFIOS EXISTENCIAIS

Embora de nossa comunidade pudéssemos desfrutar da luminosidade do Sol, sobre a área imensa desolada pairava uma nuvem sombria, pesada, resultante da angústia coletiva, do desespero que assolava os sobreviventes, da revolta que a muitos tomava, enfim, dos transtornos psíquicos causados por aqueles que tiveram a desencarnação violenta.

Podíamos ver as tempestades vibratórias que produziam raios e relâmpagos ameaçadores sobre a imensa cortina quase negra que vestia a paisagem espiritual. A condensação das energias mórbidas, à semelhança do que acontece na atmosfera terrestre com o choque das temperaturas fazendo desencadear as tormentas, os tornados, sucedia de maneira semelhante na imensa faixa avassalada.

Certamente essa psicosfera perturbava os sobreviventes aflitos que mais adensavam os *cúmulos* escuros e ameaçadores.

Tornava-se um círculo vicioso: as mentes emitindo ondas sombrias e absorvendo os efeitos danosos que pairavam no ar...

A emoção de ternura e compaixão tomou-me e deixei-me arrastar pelas blandícias da oração em favor daquela sociedade atormentada.

Chegou o momento de retornarmos aos labores. Todos nos encontrávamos assinalados pelo bom humor, pela alegria que se deriva do serviço fraternal de amor ao próximo, e nossa condução fez-se da mesma maneira como chegáramos sob o comando do nosso Benfeitor.

Atingida a região do nosso destino, de imediato passamos ao programa de assistência espiritual aos irmãos do carreiro da agonia.

Logo chamou-me a atenção um Espírito feminino que se encontrava sob terrível dominação de outro, masculino, que se apresentava com aspecto terrível e a explorava psiquicamente de maneira cruel.

Totalmente desvairada e presa aos vestígios carnais, a atormentada debatia-se entre as sensações da decomposição cadavérica avançada e a injunção penosa a que era submetida. Podíamos ver o algoz que a explorava emocionalmente, levando-a a acessos contínuos de gritos, blasfêmias e loucura.

Enquanto a contemplava presa ao corpo que tentava reerguer, talvez pensando em fugir à situação penosa, acercou-se-nos uma anciã desencarnada que, lacrimosa e aflita, pediu-nos ajuda, informando-nos ser-lhe a genitora.

Imediatamente, fez um sintético retrato biográfico da infeliz.

– Minha filhinha – começou entre lágrimas de resignação e débil voz – era *vendedora de ilusões*. Tornou-se profissional aos catorze anos de idade, quando foi consorciada, de acordo com os nossos costumes, com um homem de aparência respeitável e de caráter vil, muito mais idoso do que ela. Os esponsais foram ricos de alegria, porém, passados dois meses, ele a encaminhou a um prostíbulo de luxo de sua propriedade, onde moçoilas inexperientes e sonhadoras vendiam o corpo em volúpias de paixões.

Fez uma pausa, enxugando o pranto, e logo deu continuidade à narração:

– Minha menina foi estimulada à exploração carnal... Recebeu cuidados adequados ao comércio de que iria participar, submeteu-se a uma cirurgia, a fim de evitar a gravidez, e foi treinada em um tipo de dança muito especialmente sedutora.

"Com o passar dos dias e meses tornou-se tão célebre, quanto cínica e debochada, atraindo, à casa festiva, os aficionados da sensualidade atormentada. Com o desgaste natural, resultante dos abusos e pela necessidade de vender-se mais e sempre mais, derrapou para os infelizes comportamentos sexuais aberrantes e, para tanto, passou a consumir drogas terríveis...

"Visitada por mais de uma vez pela minha ternura, já que o seu pai morrera pouco depois do desvario a que ela se entregava, desgostoso, em razão do choque com a religião que professávamos, pois que somos muçulmanos austeros, adverti-a sem cessar, não conseguindo a mínima consideração nem respeito. Por fim, parecendo cansada dos meus conselhos, num momento de desequilíbrio total expulsou-me do seu bordel de luxúria, sempre dirigida pelo maldito explorador – o próprio marido!

"Minha filha havia enlouquecido por uma doença que eu não conseguia compreender. De um para outro momento, transformava-se, ficando tigrina e agressiva, perigosa e má, comprazendo-se em atemorizar os servos e mesmo alguns dos clientes, que lamentavam as suas frequentes mudanças de personalidade, o que os desconsertava no vil conúbio a que se entregavam.

"Sem que ninguém soubesse o que ocorria, começou a emagrecer, a definhar, como se fosse sugada nas suas energias por uma força estranha e maléfica sempre cruel.

"As dores morais foram-me superiores às frágeis resistências, e não suportando as angústias contínuas, em razão do imenso amor dedicado à minha menina, faleci vitimada por um ataque cardíaco..."

Silenciou, entristecida, olhando o Espírito querido, ainda vitimado pelo seu algoz...

– Por favor, socorram-na – rogou, súplice, de mãos postas e quase ajoelhando-se, no que foi impedida de imediato. Um ser demoníaco toma-a e desgraça-a desde aqueles longes-pertos dias de aberrações.

Não havia dúvidas de que a jovem dançarina atraíra terrível amante de outra existência que se lhe vinculara psiquicamente enquanto no corpo físico, enciumado da conduta que se permitia, passando a explorá-la nos conúbios sexuais de ocasião e de perversão, usurpando-lhe as energias emocionais e, não poucas vezes, tomando-a em surtos obsessivos terríveis...

Examinando o psiquismo do perseguidor, pudemos perceber-lhe os clichês mentais das mais chocantes aberrações, a revolta pela morte que a dominara durante o *tsunami*, assim ameaçando-lhe a exploração de energias. Tão profundos eram os vínculos entre um e outro, perispírito a perispírito, que ele se lhe imanava qual um molusco à concha que conduz, perversamente ameaçando-a.

Aproximei-me da infeliz e apliquei-lhe energias balsâmicas e calmantes, levando-a a um ligeiro torpor. Enquanto isso, a mãezinha orava as *sutras* do Corão, dominada por emoção compreensível e acompanhando a nossa terapia.

Quando conseguimos que o Espírito adormecesse, demos início ao seu deslindamento das vísceras orgânicas, o que conseguimos com o auxílio e a bondade de Abdul que veio em nosso socorro. As duas entidades muito ligadas, lembravam-nos um caso de xifopagia espiritual. O malfeitor bradava em alucinação com medo de perder a presa que explorara por alguns anos, enquanto Abdul falou-lhe com ternura e energia sobre o crime que perpetrava, informando-lhe que a exploração infeliz chegara ao fim naquela oportunidade, quando a morte os separaria e ele teria que enfrentar as consequências nefastas da sua crueldade.

A conduta mais própria era adormecê-lo também, a fim de ser providenciado recurso de libertação, quando ela pudesse contribuir com o pensamento e os sentimentos renovados, porquanto a atração mantida era resultado do seu comportamento que facilitara a perfeita identificação entre o *plugue* nos *chakras* coronário e sexual e as *tomadas* do seu agressor...

As Divinas Leis jamais recorrem aos recursos de cobranças comuns às criaturas humanas que se comprazem em fazer justiça mediante as concepções infelizes a que se atêm.

Ninguém pode permitir-se o luxo desditoso de recuperar débitos morais e espirituais, colocando-se em posição de vítima, que nunca existe, porquanto, se tal houvesse, deparar-nos-íamos com lamentáveis falhas dos códigos da justiça divina.

Mecanismos próprios de reparação fazem parte das legislações superiores da vida, que jamais falham. Nada obstante, o orgulho e a intemperança daqueles que se consideram prejudicados, logo tomam posições de justiceiros e encarceram-se nas redes fortes dos crimes desconhecidos pela sociedade, porém jamais ignorados pela realidade que sempre terão de enfrentar...

Quando a mãezinha percebeu que a filhinha dormia relativamente em paz, embora alguns estertores naturais, como resultado inevitável das construções mentais arquivadas no inconsciente e as emanações morbíficas do adversário que se mantinha vinculado, sorriu feliz e tentou abraçá-la.

Tratava-se, para mim, de um caso muito especial, porquanto era a primeira vez que observava o fenômeno da obsessão que se iniciara durante a vilegiatura carnal, prosseguindo além da morte, sem nenhuma alteração por parte do perseguidor inclemente. Nessas ocorrências lamentáveis, o algoz também sofria as contingências experimentadas pela sua vítima, em torno do processo de desencarnação. Explorada pelo vingador, ela o intoxicava, embora inconscientemente, com as emanações de desespero e de perda do tônus vital *(animal),* da conjuntura física, que era absorvido pelo inimigo.

Abdul providenciou uma padiola, e amigos cooperadores para o transporte de ambos os Espíritos ao lugar próprio que lhes estava destinado, considerando-se a especificidade da ocorrência.

Emocionada pela felicidade que fruía, a genitora expressou-nos os seus sentimentos de gratidão, inopinadamente osculando nossas mãos, o que muito nos constrangeu, considerando-se que o mais beneficiado éramos nós próprio.

A obsessão sempre apresenta angulações que nos surpreendem, em razão das organizações mentais e espirituais de cada criatura, variando, portanto, de indivíduo para indivíduo.

A observação desse fenômeno perturbador sempre nos convida a acuradas reflexões em torno da conduta interior do ser humano, que sempre procede do campo mental, a irradiar-se em todas as direções, produzindo sintonias compatíveis com a sua equivalência com outros campos e áreas vibratórios que propiciam as vinculações por afinidade.

Quando as criaturas compreenderem que são as responsáveis por tudo quanto lhes diz respeito, certamente serão alterados os comportamentos individuais e coletivos, elegendo-se aquilo que conduz à harmonia e à felicidade, mesmo que a esforço, em vez do prazer desgastante de um momento com as suas consequências perturbadoras de longo prazo. Na sua ilusão orgânica, porém, preferem a intoxicação do gozo doentio até a exaustão, sem qualquer responsabilidade, agasalhando as ideias absurdas de encontrar-se soluções miraculosas quando se lhes manifestam as consequências afligentes, que são inevitáveis.

Não é de estranhar-se a grande mole que recorre ao Espiritismo, à mediunidade, procurando solução milagrosa para os problemas que engendraram e pretendem ver resolvidos, assim mesmo sem a sua contribuição sacrificial.

A existência no corpo físico é uma oportunidade de aprendizagem que a vida concede ao ser espiritual no seu processo de crescimento interior, facultando-lhe os recursos apropriados para que a *divina chama* que existe em todos alcance a plenitude. De acordo com a maneira como cada um se comporte no mister, estará semeando as ocorrências do futuro, que terá de enfrentar, a fim de recompor-se e corrigir o que foi danificado.

Cada reencarnação é sublime concessão divina para a construção ditosa da imortalidade pessoal.

Escola abençoada, a Terra é o reduto formoso no qual todos nos aperfeiçoamos, retirando a ganga pesada do primarismo, que impede o brilho do diamante estelar do Espírito que somos. Os golpes do processo evolutivo encarregam-se de liberar-nos, permitindo que as facetas lapidadas pela dor e buriladas pelo amor reflitam as belezas siderais.

Onde nos encontrávamos, podíamos notar as diferenças de conduta entre os aflitos, assinalando maior soma de desespero ou de equilíbrio, que nos proporcionava auxiliá-los com maior ou menor eficiência. Nem todos, porém, aos quais buscávamos socorrer, conseguiam ser liberados, tão fortes se lhes faziam os laços da sensualidade da vida orgânica distante de qualquer espécie de crença na sobrevivência do Espírito.

Não foi possível divagar mentalmente por mais tempo, porque o nobre dirigente chamou-nos ao serviço, considerando que novas desencarnações continuavam ocorrendo e os assaltos por Entidades animalizadas se faziam de contínuo.

A visão das ocorrências *post mortem* surpreendem mesmo aqueles que, à nossa semelhança, se encontram na Erraticidade há expressivo número de anos.

A vida física disfarça pela aparência o Espírito que habilmente se mascara, procurando demonstrar o que gostaria de ser, mas tudo faz para não se transformar interiormente para melhor. No entanto, a realidade que o caracteriza, desmistifica-o durante o processo da desencarnação, ocorrendo conforme cada um é e de acordo com as suas possibilidades de recuperação e reequilíbrio.

As paisagens, portanto, próximas à fronteira do túmulo, são, normalmente, afligentes, exceção daquelas que acolhem os Espíritos que se esforçaram para viver de acordo com os padrões do dever, do respeito ao próximo e à vida, mesmo que sem qualquer filiação religiosa. O importante é a conduta que se vivencia e não a crença que se esposa. Nada obstante, a religião, quando liberta da ignorância, destituída de fantasias e de superstições, caracterizando-se pela lógica e pela razão, é via sublime de acesso à liberdade plena, pelo que proporciona de lucidez e esclarecimento, auxiliando o viajor a melhor contribuir em favor do próprio êxito na jornada imortalista.

Não havia, porém, tempo para mais amplas reflexões e, ao chamado para o trabalho, dispusemo-nos alegremente ao serviço estabelecido.

10

LIÇÕES DE ALTA MAGNITUDE

O serviço a que nos afeiçoáramos exigia esforço e abnegação, pois quanto mais atendíamos Espíritos em grande sofrimento, outros mais chegavam ao grupo em que trabalhávamos, quando os cadáveres eram trazidos pelas ondas e atirados às praias, ou resultavam da desencarnação daqueles que haviam ficado inconscientes, traumatizados, e porque não houvessem recebido assistência, não resistiam aos ferimentos, ao deperecimento das forças, à desnutrição, às infecções...

Ana continuava erguendo o archote de fluidos luminosos, de forma que pudesse haver claridade específica na noite espiritual, ao tempo em que também contribuía com a sua valiosa ajuda...

O padre Marcos falava, naquele momento, a um pequeno grupo de cristãos-católicos, que ainda se imantavam aos despojos materiais.

A sua voz era meiga e gentil, informando-os que a morte não deveria ser vista como uma grande desgraça...

– Todos, quando nascem, estão assinalados para morrer – enunciou, amoroso – porquanto esse é o ciclo da vida. O oposto de vida não é morte, mas renascimento.

"Jesus morreu, a fim de que pudesse ressuscitar ao terceiro dia, demonstrando a imortalidade e comunicando-se com os amigos queridos que haviam ficado na retaguarda, aguardando a confirmação das Suas palavras luminosas.

"Graças ao Seu retorno, é que o Evangelho pôde ser confirmado e a mensagem de que é portador tornou-se a esperança de todos aqueles que sofrem e se encontram à borda do abismo, sem entregar-se ao medo ou ao desânimo.

"Confiar, portanto, que há um reino além da carne que nos espera a todos, é dever de todo cristão, cuja doutrina se assenta na certeza da vitória da vida sobre o decesso tumular."

Enquanto ele falava, Abdul, Ivon, Oscar e nós outro, agora acompanhados por dois Espíritos indonésios que se ofereceram para cooperar conosco, trabalhávamos na libertação dos recém-desencarnados com os vínculos fortes mantidos com os corpos, na condição de frutos espúrios do materialismo a que se aferravam.

À medida que cada um era liberado, embora atento às palavras do sacerdote, experimentava um como vágado e tombava, quase inconsciente, sendo retirado de imediato do pequeno círculo para a área de transporte.

– Felizes – continuava o apóstolo da caridade – somos, todos aqueles que acreditamos em Nosso Senhor Jesus Cristo e que O temos na condição de Caminho, Verdade e Vida. A Ele vinculados pelo amor que nos dá sustento às emoções, morte é vida, e infortúnio é bênção, porque nada acontece sem a Sua permissão superior.

"Enfrentai a tormenta do desespero como os Seus discípulos, quando na barca frágil ante a tempestade ameaçadora que, temerosos, Lhe pediram auxílio, e Ele acalmou os ventos e tranquilizou as ondas...

"Nele temos o seguro Nauta que conduzirá a barca da nossa imortalidade ao sublime destino da paz.

"Não temais, pois, permanecendo confiantes e ajudando-nos a ajudar-vos.

"Por mais assustador se vos apresente o fenômeno da morte orgânica, a vida é um triunfo sobre todas as injunções, e nada a consegue destruir. Por isso, abandonar o veículo carnal, que já não tem utilidade, agradecendo-lhe a cooperação durante a jornada concluída e avançar com segurança pelo rumo da imortalidade constitui motivo de infinita alegria. Novamente serão reencontrados os afetos que vieram anteriormente e que vos aguardam, reorganizando as famílias, através dos abençoados laços do amor. Portanto, alegrai-vos e confiai, porque as dores afligentes de agora logo mais serão um capítulo do passado vencido."

Silenciando, por momentos, a fim de que as suas palavras pudessem ser ouvidas e entendidas, permaneceu em prece que o adornava de tênue claridade espiritual dele mesmo emanada, exteriorizando, naquele paul de desespero, a grandeza que o caracterizava na ordem da evolução.

Tomados de emoção natural, os ouvintes choravam e imprecavam pela ajuda, o que a todos nos sensibilizava.

Nesse clima de elevadas vibrações de amor e de compaixão, podíamos perceber o valor dos sentimentos da afetividade no intercâmbio com os irmãos mais angustiados. Se o amor não puder atender os objetivos essenciais para os quais se constitui, a sua finalidade é utópica e vã.

Não foi por outra razão que Jesus o elegeu como a mais nobre quão indispensável conquista a que pode aspirar o ser humano.

Ao mesmo tempo que nos alegrávamos com os resultados da convocação do padre Marcos, constatávamos os resultados infelizes decorrentes da leviandade e da ilusão a que se permitem os indivíduos que se encontram distantes do conhecimento da realidade espiritual.

Os fenômenos dolorosos de licantropia constrangiam-nos, levando-nos à reflexão, tanto em relação aos que lhes padeciam a vicissitude, como àqueles que se tornavam vítimas inermes desses algozes, afinal, de si mesmos.

O desconhecimento das Leis da Vida faz que o Espírito mergulhe no mais abismal estado de primitivismo, não se interessando pela ascensão que o arranque da situação deplorável.

Não nos passava pela mente qualquer sentimento de reproche ou de censura, porquanto, de alguma forma, somos viajantes da noite de sombras densas na direção do dia iluminado e fulgurante.

Os atavismos religiosos que lhes ofereciam primícias e estados de glória logo após a morte biológica, mantinham alguns que se davam conta do fenômeno de que foram objeto, aguardando a chegada dos anjos mitológicos, e desesperavam-se, tombando na blasfêmia e na revolta, reclamando contra o abandono em que supunham encontrar-se. Essa transferência de responsabilidades dos nossos atos para a Divindade, além de ser uma atitude profundamente leviana é muito cômoda, porque proporciona uma visão totalmente distorcida da realidade, transferindo-a para o mundo da fantasia e da mágica, no qual tudo é possível...

Somente quando o ser humano desperta realmente para a consciência de si mesmo, das responsabilidades que lhe dizem respeito, é que tem início o processo de descobrimento da verdade e do dever.

Enquanto isso não ocorre, a transferência para os outros de tudo quanto lhe diz respeito, seja na ocorrência infeliz, aos demais culpando, ou nas necessidades da evolução, esperando que os *anjos da misericórdia* por eles opere de maneira sobrenatural e privilegiada, liberando-os do esforço que deve ser empreendido para a autoiluminação.

Logo após a peroração do padre Marcos, o nosso mentor acercou-se-nos, e percebendo as interrogações que bailavam na minha mente, socorreu-me com alguns esclarecimentos que são preciosas lições de vida.

– O caro Miranda não ignora – começou ele, suavemente – que todas as ocorrências contribuem para o nosso processo de crescimento na direção de Deus. Até agora, infelizmente, as religiões, embora o imenso respeito que devotamos a todas elas, aliás ainda muito necessárias, firmam-se em condutas mágicas e não racionais, não responsabilizando os seus fiéis a respeito dos seus atos, que respondem pelas consequências que sempre os alcançam, normalmente em clima de aflição, por causa dos seus conteúdos morais negativos.

"Apresentando os seus deuses ou profetas especiais, alguns dos quais vítimas de transtornos de conduta, que mesclaram as informações superiores com os próprios conflitos, dando lugar a revelações castradoras e perversas, propõem-se como responsáveis pela *palavra* de Deus, humanizando-O e limitando-O às suas paixões, distante da grandeza imarcescível e infinita do Criador, dando-lhes a aparência de verdades indiscutíveis. Mais preocupadas com o exterior, as fórmulas e preceitos, do que com o sentimento interno dos devotos, laboram pela quantidade de adeptos, sem a maior preocupação de os qualificar para a existência breve na Terra e, a seguir, a imortalidade em que, desde o corpo, se encontram mergulhados.

"Incapazes de entender a Causalidade Absoluta do Universo, elaboram os seus conceitos na linguagem pobre das suas necessidades e arrastam as multidões que ainda não sabem pensar, trabalhando-lhes o fanatismo doentio, herança do primarismo espiritual, como mecanismo de salvação imediata, bastando pequenos esforços humanos para a eterna recompensa ou, quando isso não é conseguido, a terrível punição eterna, sem a mínima possibilidade de receber-se misericórdia ou compaixão. Apesar disso, informam com empáfia que o Pai Todo Amor é também Todo Misericórdia, numa colocação paradoxal absurda...

"Cambaleiam, então, no mundo físico, esses autômatos da fé, sendo transferidas para o mundo espiritual as multidões equivocadas e engessadas nas informações cavilosas, assimiladas sem raciocínio e recebidas como herança dos ancestrais que pensam honrar fixando-se nelas, sem a preocupação, porém, da autoiluminação. Os seus dogmas, os seus cerimoniais, todos elaborados com crueldade, amesquinhando o ser humano, escravizam-nos ao temor e mantêm-nos na ignorância em que se encarceram, sendo muito difícil esclarecê-los nos primeiros tentames, após o decesso tumular."

Aquietou-se por um momento, olhando, entristecido, a imensa mole espiritual que estorcegava na alucinação e no desespero sem limite, dando continuidade:

"– É nesse estágio do sofrimento que a compaixão dos céus recambia esses sofredores de volta à abençoada escola terrena para o ministério da reencarnação, em expiações severas ou provações rudes, facultando-lhes o entendimento das leis de justiça e dos deveres que devem constituir a pauta de todas as existências.

"Mesmo negando com ferocidade a doutrina dos renascimentos carnais, isso não impede que ela seja uma lei universal, ocorrendo em toda parte, como bênção de incomparável significado, sem a qual nos manteríamos nas faixas iniciais da evolução, sem chances de desenvolvimento intelecto-moral.

"Perfeitamente compatível com a lei de progresso que somente ocorre ao longo do processo das experiências pessoais, a reencarnação, a pouco e pouco, faz que o *deus interno* desenvolva-se e agigante-se no imo do Espírito, imanando-o a Deus.

"Acompanhando as dores acerbas que dominam esses milhares de Espíritos equivocados na sua maneira de acreditar na Vida Abundante, das suas fixações nos interesses transitórios como se fossem permanentes, mais uma vez damo-nos conta de como ainda vivemos na infância espiritual, as criaturas terrestres habituadas aos caprichos do egoísmo, sem as gratificações sublimes da solidariedade e do amor.

"Religiosamente, todos estamos informados de que o túmulo não significa aniquilamento, portanto, sabemos que a vida prossegue. Seria lógico, em consequência, vivermos de maneira compatível com essa convicção, o que realmente não ocorre. As disputas e fixações materiais de tal maneira se fazem dominadoras em nosso mundo íntimo que, conscientemente ou não, postergamos o momento da partida do corpo, indefinidamente. Quando somos jovens, anelamos para que isso ocorra na velhice, e quando a idade provecta se nos instala, ao sentirmos a aproximação do fenômeno da desencarnação, o medo se nos assenhoreia, levando, não poucos de nós, ao transtorno depressivo, à revolta ou a outro tipo de desequilíbrio.

"Bastariam somente alguns momentos de reflexão diária em torno da transitoriedade da vida física, para nos prepararmos e aguardarmos com alegria o momento da desencarnação. Qual o encarcerado que não anela pela liberdade, e que, vendo outro que estava na sua cela partir, não deseja também que lhe soe o momento grandioso? E com que júbilo enfrenta-o quando chega!

"A metáfora explica bem como nos deveríamos comportar, o que, lamentavelmente, não ocorre.

"Dia, não muito distante, porém, surgirá, em que as religiões serão portas de acesso à vida e não cárcere na ignorância e no absurdo. Desse modo, lembremo-nos que todos os profetas e fundadores de religiões, por mais elevados e nobres, não se equiparam a Jesus Cristo que os enviou à Terra, a fim de que diluíssem um pouco as sombras da crueldade, para que Ele instaurasse, nos dias já recuados, as balizas do *Reino dos Céus* no mundo. Mesmo aqueles que vieram depois do Seu advento, são ministros do Seu reino. Por essa razão, veio *o Consolador* que Ele prometera, para apressar esses dias, o momento da verdadeira comunhão entre as criaturas e o Criador.

"Não desfaleçamos, portanto, e cumpramos com o nosso dever."

Encontrava-me edificado e surpreso, pensando como o nobre médico chegara a essas conclusões, sabendo que ele vivenciara, na sua existência anterior, a convicção anglicana.

Percebendo-me a reflexão, o amigo generoso sorriu e completou:

– Amigo Miranda, o conhecimento viaja daqui para a Terra e não de lá para cá... Desse modo, participando dos grupos de estudos em nossa comunidade, tomei conhecimento da Revelação Espírita e da sua magnitude para o ser humano. Por isso, estou engajado na tarefa em que nosso grupo se encontra.

E porque novas questões me assomassem à mente, ainda jovial e sábio, ele interrompeu-me, propondo-me:

O trabalho nos espera, e as perguntas encontrarão as suas respostas na ação do bem com Jesus.

11

APRENDIZAGEM CONSTANTE

Mergulhada na psicosfera densa das aflições humanas, a região em que operávamos permanecia terrificante. Embora o dia estuasse de luz e o céu azul turqueza, sem nuvens, estivesse deslumbrante em razão da claridade do Sol, a presença da tragédia colossal estava dominadora na paisagem de destroços.

Parecia uma área de guerra, que sofrera pesada artilharia acompanhada pela destruição da força aérea.

Na praia imensa, antes paradisíaca, as árvores despedaçadas balouçavam sobre as ondas tranquilas, ao tempo que se acumulavam nas areias e na vastíssima região atingida pela destruição da fúria do *tsunami*...

As pessoas revolviam os montes de entulho, tentando encontrar os cadáveres dos desaparecidos, agindo como dementados sem rumo...

Numa das barracas de emergência hospitalar, a movimentação de Espíritos encarnados e desencarnados era muito grande.

Encontrava-me em observação, quando veio até o nosso mentor uma senhora desencarnada com traços do norte da Europa, remanescente da sua última jornada terrestre, pedir ajuda.

Sintetizou a rogativa, informando que o neto, jovem de vinte e cinco anos, visitava a região com frequência, acompanhado de amigos do seu país, para desfrutarem das regalias do prazer que ali eram concedidas em larga escala aos seus visitantes.

Portador de caráter vil, usuário de drogas químicas, atraía as jovens inexperientes e sonhadoras locais, pelo porte atlético e pela habilidade no *surf* em que se destacava no meio de todos...

Em razão desses requisitos tornara-se um conquistador insensível, que se comprazia em corromper as vítimas, empurrando-as para a drogadição e o comércio carnal.

Financiava a viagem de algumas interessadas em aventuras e comercializava-as com organizações mafiosas que as transformavam em escravas do sexo no seu e noutros países por onde circulava. Logo, porém, as moças ludibriadas chegavam às cidades nórdicas da Europa, tomavam-lhes os passaportes e explicavam-lhes que teriam que pagar o empréstimo das passagens e de tudo quanto a partir dali lhes fosse oferecido.

O tipo exótico das moças, quase adolescentes, em relação aos padrões europeus, na maioria fascinava a clientela viciada, e quando se davam conta era demasiado tarde para qualquer providência salvadora...

Já se lhe tornara habitual a conduta infame em que se comprazia, mas era seu neto, o infeliz, por quem rogava socorro.

A avozinha, pois era o Espírito que pedia ajuda, tentara inspirá-lo à mudança de comportamento, mantivera reiterados encontros na *esfera dos sonhos*, não logrando qualquer resultado saudável.

Comovendo-se, silenciou ante o benfeitor atento e completou:

– Estou informada por Espíritos generosos do labor que o nobre amigo vem realizando com a sua equipe, e, embora se trate de um caso especial, suplico a ajuda possível.

"Ele encontrava-se no Hotel X, à hora do sismo, e foi arrebatado pela onda gigante que o carregou com o edifício em desmoronamento. Ficara quase soterrado no entulho, e só agora, vários dias após, fora encontrado ainda com vida e conduzido à emergência naquele improvisado hospital erguido por estrangeiros.

Dr. Charles convocou-nos a nós, a mim e ao Oscar, para que o acompanhássemos, enquanto os demais prosseguiriam no afã estabelecido.

Quando chegamos ao centro cirúrgico, observamos os muitos atendidos em estado grave.

Colocado no aparelho para os estudos computadorizados, os médicos concluíram pela delicadeza do seu quadro. Encontrava-se em coma, com uma vasta área cerebral comprometida pelos traumas cranianos sofridos, pelos golpes do desmoronamento da construção e pelo choque do *paredão* de água.

Dr. Charles observou-o, e explicou à anciã;

– Nosso jovem encontra-se muito gravemente afetado sem a menor possibilidade de recuperação. Os largos dias em que esteve sem assistência de qualquer natureza comprometeram-lhe outros órgãos e a bomba cardíaca destrambelhou-se sob o esforço exaustivo, tendo ocorrido, nesse período, duas paradas que mais comprometeram o cérebro em razão da anóxia decorrente...

– O mais grave – acentuou – é a sua condição espiritual...

Vimos o Espírito ainda preso ao corpo debatendo-se nas mãos fortes de dois adversários cruéis que o ciliciavam com vergastadas, ao mesmo tempo que o ódio que exteriorizavam era absorvido pelo organismo da vítima, especialmente por intermédio dos *chakras* cerebral, solar e cardíaco, afetando-lhe o debilitado coração.

Um deles, cujo semblante era uma caraça demoníaca, ameaçava:

– Morrerás, infame! Nós te queremos aqui, quanto antes, para punir-te pelo mal que fizeste às nossas filhas. Como podes destruí-las no comércio da carne, utilizando-te da sua ignorância, para que fruas prazeres insaciáveis, na tua doença mora?! Nunca te perdoaremos por invadires nossos lares e desgraçares aquelas a quem amamos. Se houver justiça divina, nós seremos os seus intermediários e a aplicaremos conforme o fazes com as tuas vítimas…

Estrondosas gargalhadas de loucura faziam-se acompanhar a cada acusação.

O outro estertorava, à medida que também o acusava:

– Estrangeiro maldito, abutre infeliz que degradas todos aqueles que passam pelo teu caminho de misérias! Porque somos pobres, pensas, cinicamente, que podes corromper as nossas meninas, levando-as para a escravidão nas tuas terras? Pagarás os crimes, como nunca poderias imaginar, porque dispomos de outro poder que não tens, miserável!

… E contínuas exprobrações eram enunciadas entre dentes rilhados e mãos agitadas em atitude agressiva.

Outros também apresentavam queixas acusatórias, cercando o desditoso com as suas faces transtornadas, o que lhe produzia infinito pavor, levando-o a debater-se em pranto e contínuos desfalecimentos.

Surpreso, olhei o mentor, que me explicou:

– Nossos irmãos estão tentando matá-lo, isto é, procuram impedir que se assenhoreie do corpo, intoxicando com as vibrações do ódio o órgão cardíaco até o mesmo cessar de pulsar... No seu estado atual de fraqueza não suportará por mais tempo a ingestão dos fluidos venenosos eliminados pelos adversários, e que vem absorvendo, piorando o estado ao somar-se aos demais fatores de desequilíbrio...

Depois de ligeira reflexão silenciosa, acentuou:

– Ele necessita, porém, de sobreviver...

Não deu mais explicações, exceto, informando:

– Sem que recupere a lucidez, terá uma longa existência vegetativa de reparação.

Ato contínuo, acercou-se dos litigantes, condensando o perispírito, até permitir-se ser percebido pelos algozes, e pôs-se, serenamente, a dialogar com os mesmos.

– Reconheço – afirmou com tonalidade bondosa na voz – a justeza das vossas argumentações em referência ao paciente. No entanto, a aplicação da justiça compete a Deus, que conhece em profundidade cada um de nós. Jamais saberemos como corrigir alguém, quando dominados pelo ódio e desejosos de vingança... Nosso jovem é leviano, vem cometendo crimes hediondos, sem dúvida. Arrebatá-lo pela morte, não será igualmente um crime perverso e sem justificativa, porque o mal, de maneira alguma, se insere no contexto da vida?!...

"Considerando-se, portanto, a circunstância, a vossa disposição de discipliná-lo, de retê-lo no Além-túmulo, a fim de apressardes a sua punição, violenta as Leis Soberanas, porque ninguém tem o direito de tomar nas mãos a clava da justiça..."

Furibundos, ambos reagiram, enquanto outros, agitados, entregavam-se à gritaria, tentando gerar perturbação.

– Não necessitamos de juiz estrangeiro – revidou um deles. – Conhecemos as nossas leis e, por elas, pelo Alcorão, assim como através da *Xariá* sabemos como conduzir-nos, aplicando as chibatadas correspondentes ao crime, e são vários os crimes de desonra e degradação de vidas por ele cometidos, portanto, na Terra, punidos com a pena de morte, o que estendemos até aqui... Agradecemos a interferência de cristãos em nossas decisões, permitindo-nos continuar com os nossos propósitos, porquanto estamos dentro da Lei...

– Isso poderia parecer correto – alvitrou o benfeitor resoluto. – Nada obstante, o Alcorão também fala de misericórdia, e que somente Alá é justo, benevolente e sábio, podendo perdoar os mais perversos infratores... Maomé reconhece a grandeza de Jesus e da Sua doutrina, portanto, a verdade tem caráter universal e, no caso em tela, não importa que a interferência seja por intermédio de muçulmanos ou de cristãos, mas que esteja baseada nos sentimentos de misericórdia e de amor, ambos de caráter divino, portanto, inderrogáveis...

"– Não nos interessa a sua colaboração, mas sim a concretização dos nossos objetivos, que são inamovíveis.

"– Compreendemos, perfeitamente, a vossa dor, assim como a de outros tantos... Ei-la campeando em toda parte nestes tormentosos dias que enfrentamos. Somente a sabedoria divina conhece as razões para tudo quanto vem sucedendo desde o momento do infausto acontecimento sísmico... Comove-nos o sentimento de solidariedade dos países de diferentes partes do mundo aqui presentes, contribuindo em favor das vítimas da ocorrência terrível. Nenhuma preocupação com a crença, a moral, a conduta dos que se encontram em aflição. Há, em todos, o saudável desejo de ajudar, de demonstrar amor e respeito pelo sofrimento do próximo.

"A mesma atitude solidária estabelece-se além das formas físicas sob a égide do Amor.

"Desde que estais insensíveis à compaixão, apelamos para a misericórdia de que todos necessitamos diante de Deus. Por acaso, considerai-vos isentos de erros, atravessastes a caminhada terrestre sem haverdes contraído dívidas ou gravames ante as situações penosas de outros?

"Desse modo, fazei com o perturbador da vossa paz, conforme gostaríeis que fizessem em relação a vós outros, caso estivésseis no seu lugar."

A palavra era repassada de imensa compaixão e ternura, envolvendo em dúlcidas vibrações de harmonia os agressores, que ficaram algo aturdidos momentaneamente, logo retornando ao ataque.

– Ofereci-vos a bênção da caridade para com o criminoso e reagis – voltou a afirmar o mentor –, agora vejo-me na contingência de apelar para outros recursos de que podemos dispor em situações como esta...

Silenciando, pôs-se a orar em profunda concentração, no que o acompanhamos de bom grado.

Suavemente uma claridade os envolveu, e Ana, que continuava com o archote na mão direita erguida, depô-lo no solo, e acercando-se de ambos dentro da luz superior, abraçou-os com bondade, enquanto o médico desligava o Espírito submetido à pressão dos adversários.

Subitamente, os dois adversários foram dominados por estranho torpor, e amparados pela enfermeira espiritual, foram colocados no solo, a fim de serem transferidos por generosos auxiliares convocados mentalmente pelo Dr. Charles que, então, aplicou energias saudáveis no enfermo em estado comatoso.

Vimos o *encaixar* do Espírito no corpo, e logo depois um estertor sacudiu-o todo, transformando-se em uma convulsão...

– Ele sobreviverá... – informou o médico sábio. – Receberá os recursos hábeis e, em breve, poderá ser transferido para o lar, onde experimentará a longa trajetória da recuperação moral...

A nobre senhora desencarnada, muito comovida agradeceu ao esculápio espiritual e abraçou o neto querido.

Quando retornávamos para os labores sob nossa responsabilidade, e porque me parecesse oportuno, pedi-lhe licença, e interroguei-o:

– Pelo que depreendo, os adversários espirituais tramavam-lhe a desencarnação, não é verdade?

Sempre bondoso e atento, o orientador respondeu-me:

– Podemos chamar essa agressão como uma tentativa de homicídio espiritual.

– Isso ocorre com frequência? – interroguei-o, surpreso.

– Sim – esclareceu – com mais frequência do que se imagina... Nunca devemos esquecer-nos de que este é o campo das causas, o mundo espiritual, onde se originam as ações e feitos que se materializam na Terra. Fonte de sublimes inspirações, também origina reações devastadoras, quando os seus autores se encontram nas faixas primárias da evolução. Em colônias de dor e de sombra, mentes perversas elaboram programações desditosas que inspiram os deambulantes carnais, insensibilizando-os e auxiliando-os nas suas desvairadas aplicações.

"Em parceria psíquica, hipnotizam aqueles com os quais conviveram na esfera espiritual, esses desalmados perseguidores do Bem, e utilizam-nos com uma frieza que nos choca, procedente, desse modo, das suas construções mentais devastadoras.

"Detido o Espírito encarnado nas malhas vibratórias dos seus desafetos, em razão dos comprometimentos morais para com eles, torna-se sujeito à sua injunção infame, experimentando dores acerbas que podem provocar no corpo desastres orgânicos. A mente é portadora das energias que se movimentam através da aparelhagem carnal, e quando são deletérias produzem efeitos compatíveis. Da mesma forma que uma emoção forte, em estado de vigília danifica o organismo e provoca distúrbios muito graves na maquinaria fisiológica, aquelas que têm lugar durante o parcial desprendimento pelo sono, pelo coma ou situações equivalentes, repercutem nas células, danificando-as ou harmonizando-as se defluem das alegrias e bênçãos que se vivenciem.

"Tudo quanto ocorre no soma procede da psique, portanto, do Espírito, que é o condutor do carro material.

"Nossos irmãos, embora vinculados à doutrina muçulmana, conhecem a realidade da vida após a morte e comportam-se qual ocorre também com incontáveis cristãos desencarnados e inumeráveis cidadãos comuns crentes ou não na imortalidade.

"Não são poucos aqueles que se aperfeiçoam em comportamentos perniciosos antes da reencarnação, a fim de poderem dar-lhes expansão durante a jornada orgânica.

"A realidade é a mesma, variando as formas de exteriorização, assim facultando que todos estejamos envolvidos pelas suas poderosas manifestações.

"Mais uma razão para que sejam divulgados os conteúdos imortalistas a todas as criaturas, para melhor poderem conduzir-se enquanto vige o período da reencarnação. O conhecimento da verdade é libertador, porquanto se insculpe no pensamento e nas ações, orientando o ser no seu desenvolvimento iluminativo."

Nesse ínterim, chegamos à nossa área de atividades habituais e prosseguimos no atendimento aos irmãos desesperados, que a morte surpreendera sem aviso prévio, e que, mergulhados no fascínio do corpo, nunca se deram permissão para reflexionar em torno da inevitável presença da morte.

12

A VIDA RESPONDE CONFORME PROGRAMADA

As atividades prosseguiam árduas, tendo-se em vista o número de vítimas que foram arrebatadas pela grandiosa tragédia.

Lamentavelmente, sem qualquer preparação para o enfrentamento da realidade espiritual, debatiam-se nas amarras fortes do corpo em putrefação, tentando reanimá-lo, a fim de recomeçaram o banquete dantesco das ilusões. Quando os esforços não se coroavam de êxito, o que jamais acontecia, o desespero alucinava-as, demonstrando que viveram apenas para as sensações.

Certamente, havia muitos Espíritos enobrecidos pelo trabalho e pela dignidade, pela fé religiosa esposada, pelos valores morais a que se entregavam, que eram socorridos por familiares queridos que os anteciparam na romagem da Imortalidade, por abnegados mentores que os auxiliaram na jornada terrestre...

Referimo-nos à maioria, à mole humana descuidada, para a qual a existência é apenas uma viagem ao país das quimeras, sem o sentido profundo de que se reveste.

Como, porém, o amor de Deus está sempre presente, não lhes faltavam socorros efetivos do mundo espiritual, como ocorria em relação ao nosso pequeno grupo de afeiçoados ao Bem.

Encontrava-me atendendo a uma senhora desencarnada, ajudado pelo irmão Oscar, que tentava romper inutilmente os liames perispirituais, experimentando muitas angústias. Dei-me conta do seu estado adiantado de gestação, notando a presença do Espírito-feto, que se encontrava adormecido após a morte orgânica, porém, imantado ao corpo da mãezinha.

Sem saber como proceder, recorri à ajuda do benfeitor que, solícito, acercou-se-nos, sugerindo que, primeiro, tentássemos adormecer a genitora, a fim de ser providenciado o *parto.*(*)

Concentrando-nos, ambos, aplicamos energias calmantes na senhora aflita, que lentamente asserenou-se, adormecendo.

O Dr. Charles pediu a Ana que atendesse ao filhinho, enquanto ele aplicava recursos especiais na área do *chakra coronário* do pequenino, diluindo a energia densa, que se foi alterando, mudando de tonalidade e de formato até diluir-se como um fio que se esgarça, sendo separadas totalmente as fibras de energia que os uniam.

Nesse comenos, observamos que a gestante movimentou-se, embora adormecida, e expeliu uma espessa massa informe, como se fora o parto.

Logo nos demos conta de que se tratava da condensação mental de ambos, filho e genitora, acumulada no útero, em cujo claustro desenvolvia-se a gestação.

A partir desse momento, o seu sono tornou-se reparador, tranquilo...

Na etapa final do processo, o Espírito, que não lograra a bênção da reencarnação, experimentou um grande choque, enquanto vimos o corpo da desencarnada absorver os fluidos densos que o retinham, sendo atraídos pelo seu cadáver.

Notei, curiosamente que, de imediato, o processo de decomposição tornou-se mais rápido, apesar de já o haver iniciado. As bactérias encarregadas da destruição dos tecidos pareceram vitalizadas, e aumentaram infinitamente, com voracidade, que não tivera ocasião de perceber anteriormente.

Dr. Charles explicou-nos que a flora e a fauna microbiana, que se encarregam de estruturar e desorganizar a aparelhagem física, são mantidas por uma lei natural, porém, é o fluido universal que lhes dá vitalidade ou que se encarrega de aniquilá-las, quando já não se fazem necessárias.

No caso em tela, as *impressões físicas* transmitidas pelo Espírito, de alguma forma, preservavam determinadas áreas orgânicas menos sensíveis à decomposição, retardando-lhes o processo degenerativo.

O recém-liberado foi conduzido por Ana, a uma das áreas especiais, de onde seria conduzido para o despertamento fora daquele campo, indo habitar uma comunidade infantil própria ao seu futuro desenvolvimento.

A mãezinha, adormecida, logo depois, foi recambiada para o lugar de onde seria também transferida com aqueles que podíamos considerar como melhorados e que, ao despertarem no campo de refazimento, padeceriam menos angústias.

Ela esperara o filhinho com essa ternura infinita de quem deseja a maternidade dignificada. O esposo, conforme elucidou Dr. Charles – após alguma reflexão – houvera também desencarnado, não ali, mas numa das ilhas do país, onde se encontrava em atividade comercial...

Certamente, em razão da lei das afinidades, logo despertasse, teria meios de reencontrar os seres queridos, utilizando-se dos recursos de orientação e esclarecimento que foram instalados em nossa Esfera de ação.

Encontrava-me edificado com as lições que acabara de registrar.

E porque necessitasse de alguns esclarecimentos, solicitei ao nobre amigo que me auxiliasse no entendimento da dolorosa ocorrência: a desencarnação da gestante e do seu filhinho, naquelas circunstâncias, considerando-se que se encontrava quase no momento de renascer no corpo físico...

Sem fazer-se rogado, o nobre amigo reflexionou por um pouco, e narrou-nos, a mim e ao irmão Oscar:

– A nossa irmã viveu, em sua penúltima reencarnação, em uma das milhares de ilhas da Indonésia, exatamente aquela em que, há pouco, desencarnou o seu esposo, naquela ocasião também seu consorte...

"Entregavam-se, então, a práticas mágicas e supersticiosas muito comuns em toda parte, especialmente em muitas das ilhas de cultura ainda primitiva, porque distantes da civilização, vivendo costumes tribais... Tidos como possuidores de dons espirituais, em muitas das suas atividades, ela e os Espíritos infelizes com os quais se homiziava, exigiam sacrifícios de crianças, por serem inocentes, e cujas vidas dariam alegria, saúde e felicidade àqueles que se permitissem utilizá-las. Assassinaram, desse modo, algumas crianças indefensas, cujos pais, ignorantes e perversos, permitiam a sua imolação, vitimados pelo costumes bárbaros...

"Ao desencarnarem, foram surpreendidos por algumas das suas vítimas, que os arrastaram a punições severas, encarceramentos terríveis, submissões humilhantes... Sempre estarão em sintonia os devedores e os seus insensíveis cobradores.

"Como, porém, sempre estando presente a justiça, o amor apresentou-se-lhes em forma de misericórdia e os recambiou à atual reencarnação, na qual foram constrangidos a encerrá-la de maneira dolorosa, superlativamente triste.

"Terminado o resgate, que se impuseram por necessidade iluminativa, recomeçarão, noutra oportunidade, o processo de crescimento para Deus, edificando um lar no qual estarão presentes numa família numerosa alguns dos desafetos, hoje desditosos e sedentos de vingança... O amor é a luz que apaga a escuridão do ódio, diluindo-o em claridades de ternura e de compreensão."

Silenciou, por um pouco, para logo concluir:

– O filhinho, que lhe veio imantado ao perispírito, após havê-los perdoado, sofreu a reparação pelo mal que lhes impusera no período em que estiveram na erraticidade inferior. Voltará ao carreiro físico, também, rico de esperança e de alegria.

"O genitor desencarnou na mesma ilha onde praticara magia negra e cometera os hediondos crimes, havendo sofrido um processo prolongado antes de concretizar-se o fenômeno biológico da morte orgânica. Foi lento o deslindar-se das amarras carnais, experimentando aflições superlativas, até a consumpção total.

"As Soberanas Leis sempre se encarregam de reequilibrar a ordem onde se hajam manifestado a agressividade e o crime, o despautério e a crueza dos sentimentos. Ninguém, que agrida a vida, prosseguirá em liberdade, porque ficará imanado ao erro, até que reconquiste a paz resultante do dever nobremente exercido e da consciência harmonizada.

"Por outro lado, onde se encontre o agressor sandeu, a ele vinculada estará a vítima que, não o havendo perdoado, estabelecerá seus planos de vingança.

"Sempre, portanto, que se viva com harmonia, desincumbindo-se dos deveres que lhe dizem respeito com seriedade e elevação, será lograda a felicidade real, aquela que nada consome."

Quando silenciou, deixou-nos uma sensação de coragem, assinalada pela alegria de viver no serviço de autoiluminação.

A noite, porém, prosseguia lúgubre, ameaçadora. De certo modo, relâmpagos e trovões, chuvas intermitentes tornavam o nosso trabalho mais penoso. Não se tratava de fenômenos terrestres, mas de tormentas espirituais defluentes das vibrações grosseiras e dos campos magnéticos sobrecarregados de energias deletérias.

Na imaginação de alguém menos experimentado, logo se teria ideia de tratar-se ali do Inferno mitológico, onde não *luzem a misericórdia, nem a compaixão...*

A diferença, é que o amor de Deus ali se encontrava em atividade, diminuindo as tenazes constritoras do sofrimento que colhera rapidamente aquelas dezenas de milhares de existências em plena exuberância fisiológica e demorada ilusão física.

Não havia, porém, tempo, para aprofundar reflexões, que ficariam para ocasião própria, sendo-nos indispensável servir, quanto nos estivesse ao alcance, sem medirmos esforços para libertar os irmãos equivocados, pouco importando as suas origens, as circunstâncias da desencarnação, a religião que professavam. O Bem não se detém ante qualquer tipo de fronteira, limite, preconceito, porque é emanação divina para a edificação da vida.

Constatava, mais uma vez, que cada criatura é um ser especial, verdadeiro *universo* a descobrir, desconhecido por ela própria. Em consequência, cada desencarnação é especial, típica de cada indivíduo, porque caracterizada pela sua realidade pessoal.

Muito difícil estabelecer-se regras comparativas sobre a existência e a desencarnação dos seres. Certamente, há biótipos que servem de padrão para que se realizem paralelos que ajudam no entendimento das circunstâncias e das suas ocorrências.

Compreensivelmente, defrontávamos essa diversidade de comportamento entre aqueles desencarnados, que se negavam à aceitação do fenômeno que se consumara, arrebatando-os da esfera física. As circunstâncias imprevistas, manifestando-se com a força titânica da destruição, surpreendera-os, sem que houvessem tido tempo sequer de entender o que lhes estava acontecendo. A onda gigante fora tão veloz e avassaladora que arrastou de roldão tudo quanto se lhe encontrava à frente, deixando um rastro de destruição inimaginável...

Transferidos coletivamente para o mundo espiritual, sem perceberem os demais que foram recambiados juntos, cada qual permanecia prisioneiro das suas sombras e encantamentos, sem estrutura emocional para conceber o que lhes acabara de acontecer, deixando-os enlouquecidos...

Ainda meditava em torno do drama da senhora gestante desencarnada, quando tive a atenção despertada para uma dama que se encontrava profundamente vinculada aos despojos em estado deplorável. Gritava muito, inspirando nossa compaixão e sarcasmo na chusma de perversos obsessores, que a martirizavam com motejos vulgares, enquanto ela intentava romper os vínculos para ir procurar o filhinho cujo paradeiro desconhecia. Estava, mais ou menos, informada sobre a morte que a arrebatara, não compreendendo as forças que a mantinham presa ao corpo, quase totalmente destruído...

Chamava pelo filho com voz pungente, logo se alucinando, tentando arrancar os cabelos, ferir-se, atirando-se ao solo contínuas vezes, buscando levantar os destroços materiais.

Dr. Charles acercou-se e auscultou-a psiquicamente, procurando ler nas suas paisagens mentais as ocorrências, momentos antes da tragédia coletiva.

Falou-nos que se encontrava distante da praia, na residência humilde, quando a mesma desabou sob a força incoercível da onda poderosa que diminuíra de volume... Desencarnara, imediatamente, sob os destroços que a esmagaram.

O choque adormeceu-a por largo período, havendo despertado em desespero, menos de um dia após, dando-se conta, relativamente, do que acontecera.

– A sua angústia maior – elucidou-nos – era o fato de ignorar o que sucedera com o filhinho, razão que fora da sua existência, no período de viuvez que a surpreendera meses antes...

Com bondade paterna e sabedoria haurida na sua nobre existência, ele procurou detê-la por um pouco, mediante projeção de raios luminosos que a envolveram, limitando-lhe os movimentos, e após dizer algumas palavras à sua enfermeira dedicada, pôs-se a conversar com a desesperada.

O seu forte pensamento era captado pela enferma de maneira clara, através de imagens decodificadas pelo Espírito sofredor, conseguindo acalmá-la, a pouco e pouco.

Nesse comenos, Ana chegou, trazendo nos braços, sorridente e bela, uma criança de pouco mais de um ano de idade, que desencarnada, logo se recuperara do drama, apresentando-a ao médico.

Esse, por sua vez, colocou-a nos braços da desafortunada o filhinho jovial, que a fez sorrir e acalmar-se, logo passando a cantar uma balada para o adormecer.

De imediato, fomos convidado a diluir os liames perispirituais que a retinham ao corpo, conseguindo, alguns momentos depois, a total liberação.

Aturdida, no instante da emancipação do corpo, pareceu perder o equilíbrio, em razão da gravidade ambiente, no que foi socorrida por Ana, que lhe tomou o filhinho, enquanto nós a segurávamos e o Dr. Charles hipnotizava-a, a fim de que, serena, adormecesse, o que aconteceu sem detença.

Logo após, os padioleiros a transferiram para a área pertinente, levando, também, o filhinho adormecido.

Os milagres que o amor opera são contínuos e ricos de beleza, vencendo mesmo o denominado *abismo da morte.*

As horas, em consequência, naquele báratro, arrastavam-se, lentas e afligentes, carregadas de acontecimentos insólitos, que nos enterneciam num momento, doíam-nos em outro, e despertavam-nos sempre o amor e a compaixão em todos os casos.

(*) Vide nosso livro PAINÉIS DA OBSESSÃO, capítulo XV – *Trama do ódio.* Editora LEAL.
Nota do autor espiritual.

13

CONQUISTANDO O TEMPO MALBARATADO

Com periodicidade, retornávamos à comunidade para o necessário refazimento, prosseguindo no socorro aos irmãos colhidos pela desencarnação, desequipados espiritualmente dos recursos iluminativos.

Lentamente diminuía o número de cadáveres expostos nas praias e cidades vitimadas pela tragédia coletiva, enquanto se reorganizavam as urbes, cuidando-se da remoção dos destroços e das reconstruções.

A paisagem de sofrimento dos sobreviventes era confrangedora, porém, a vida, no seu sublime impulso de superar infortúnios, sustentava-os, ajudando-os na reedificação da existência.

Rapidamente, para nós, passou o período que nos fora reservado para acompanhar os trabalhadores do Bem, e deveríamos, Ivon e nós outro, retornar à nossa Esfera, para outros compromissos que nos aguardavam, dentro das linhas direcionais da conferência do Benfeitor que viera da constelação das Plêiades.

Como é natural, agradecemos ao Dr. Charles todo o seu empenho em auxiliar-nos a entender os mecanismos das Divinas Leis, bem como despedimo-nos dos demais amigos, tomados por justa emoção.

Dr. Charles havia convidado dois Espíritos que viveram na Indonésia, a fim de substituir-nos, desde que o árduo trabalho prosseguiria por largo período.

No dia do nosso retorno, o Sol enriquecia a região com os seus raios abençoados e a paisagem continuava apresentando as marcas irremovíveis do *tsunami* devastador.

Quando tomamos o veículo que nos conduziria ao Lar, pudemos ver, a distância, a imensa região envolta em sombras densas, nas quais, vez que outra, brilhavam luzes, representando os obreiros da caridade em sua faina de aplicar os tesouros do bem em favor dos famintos de conhecimentos e de harmonia pessoal.

Conduzíamos novas experiências, que nos haviam surpreendido pela sua originalidade, já que, antes, nunca tivéramos ocasião de laborar nesse tipo de socorro.

Impressionava-me o *milagre* da vida, que reverdece as áreas mortas na canícula do verão, enfloresce os ramos secos e quebradiços dos vegetais, quando chega a primavera, reanima os corações desfalecidos na luta desigual, faculta aprimoramento interior...

Triunfa sob todas as conjunturas aparentemente destrutivas, apontando o rumo da imortalidade como a vitória suprema da existência humana.

Chegando à nossa comunidade, fomos recebidos carinhosamente pelos amigos da convivência diária, e após nos alojarmos em nossos domicílios, para onde nos acompanharam, solicitaram-nos notícias da azáfama da caridade entre os irmãos infelizes da Indonésia...

Na medida do possível, narramos as experiências edificantes e as lições absorvidas, especialmente em torno da fraternidade entre Espíritos aclimados a credos religiosos diferentes, porém, unidos pelos mesmos sentimentos de amor, de compaixão e de caridade.

Realmente, descobrimos a solidariedade que deve viger entre muçulmanos e judeus, católicos e protestantes, espíritas e demais crentes, ou mesmo não-crentes, o que nos ensejou inefável alegria interior, redescobrindo a Sabedoria Divina em tudo pulsante, assim como o poder da solidariedade fraternal, que se não submete aos caprichos rigorosos do ego apaixonado.

Em nossa comunidade estagiavam periodicamente Espíritos de diversas procedências, trabalhando conosco sob o clarão do pensamento de Jesus e de Allan Kardec, superando os impedimentos dogmáticos das suas crenças antigas e adaptando-se ao padrão universal, distante de siglas e de terminologias, mas sempre idênticas pelos objetivos elevados e as propostas libertadoras.

Embora Ivon Costa residisse em outra Colônia situada sobre a região do Brasil Central, com sede sobre as formosas montanhas de Minas Gerais, convidei-o a permanecer em nosso lar pelo período intermediário entre aquele e os próximos dias quando retornaríamos à Terra, dando prosseguimento aos compromissos aceitos.

Compreensivelmente, o intercâmbio entre as colônias espirituais é constante e natural, qual acontece na Terra entre as diferentes comunidades que se sustentam e confraternizam.

Embora cada qual possua as suas próprias e específicas características, todas operam em favor do desenvolvimento moral dos seus habitantes desencarnados, preparando-os para os cometimentos futuros nas reencarnações abençoadas.

Concluído o labor com o Dr. Charles White, faríamos parte, dentro de dois dias, de um novo empreendimento, cujo Mentor ainda ignorávamos, apesar de informados que fôramos convidados a fazer parte de novo grupo de trabalhadores espirituais.

O repouso, para nós, é constituído pela renovação das energias para aplicações edificantes, revitalizando-nos e auxiliando-nos a melhor entender, cada vez mais, as lições da vida, ampliando os nossos horizontes de serviço ao próximo, no que redunda serviço a nós mesmos.

Desse modo, é um pouco diferente o repouso vivenciado pelos Espíritos em relação àquele de que têm necessidade os encarnados, que também se renovam, readquirindo forças e equilíbrio para os compromissos da evolução, dentro dos padrões orgânicos em que estagiam.

A vida não cessa de vibrar, o que, se acontecesse, reduziria tudo ao caos do princípio...

Necessário, portanto, agir, conquistar o tempo anteriormente malbaratado nos comportamentos equivocados, nas lutas do egoísmo, na incessante busca do prazer.

De alguma forma, aguardávamos o momento de conhecer detalhes da nova programação com alguma ansiedade.

O êxito resultante do cometimento concluído, estimulava-nos a aguardar os novos desafios com alegria e gratidão aos Céus.

Aqueles que pensam, que após a morte os justos repousam, equivocam-se, porquanto, em todo o Universo vigora somente a lei da ação e da edificação.

Nesse ínterim, tomamos conhecimento de que a caravana de serviço aos irmãos do orbe terrestre seria expressiva em qualidade e em quantidade de membros, dividida em vários grupos que atuariam em diferentes locais, sendo presidida pelo sábio geneticista Dr. Artêmio Guimarães.

Conhecia-lhe um pouco a história fascinante, que o projetara à condição de chefe do departamento de reencarnações em nossa Colônia Redenção.

O eminente Espírito encontrava-se desencarnado, fazia aproximadamente trinta anos, após laboriosa existência missionária no Brasil.

Reencarnara-se com a missão de envidar todos os esforços, utilizando os mecanismos de preservação da vida, havendo dedicado os seus empenhos em favor da saudável reprodução humana.

Havendo renascido em lar modesto, a fim de conhecer as dificuldades e vencê-las desde cedo, na cidade do Rio de Janeiro, muito jovem ainda revelou as aptidões superiores conduzidas do mundo espiritual.

Criança vivaz e simpática, inteligente e generosa, tornou-se jovem responsável e estudioso, auxiliando a mãezinha viúva, lutadora de grande envergadura que se comprometera a recebê-lo nos braços afetuosos, enquanto, simultaneamente, frequentava a escola noturna.

Com sacrifícios hercúleos, venceu as peripécias da juventude, mantendo-se fiel aos postulados do dever, superando as condições ambientais, agressivas e perturbadoras, abraçando o anelo de salvar as vidas ainda em formação, lutando com denodo contra qualquer forma de aborto criminoso.

Para melhor desincumbir-se do futuro ministério, transferiu-se para a cidade de São Paulo, após a desencarnação da mãezinha, vitimada pela tuberculose defluente da debilidade orgânica e da deficiente alimentação, passando a trabalhar com mais empenho até conseguir adentrar-se na famosa universidade daquela cidade, que passou a frequentar com espírito combativo e tenacidade.

Havendo-se identificado com nobres mestres de Medicina, verdadeiros apóstolos que têm passado pelo augusto educandário de muitas gerações de cientistas e profissionais honoráveis, dedicou-se ao estudo da Biologia, da Embriogenia, integrando-se no grupo de afeiçoados à nascente Engenharia genética.

Conseguindo, por justos méritos, após a diplomação de médico, uma bolsa de estudos em destacada universidade americana do norte, vinculou-se ao fechado círculo de pesquisadores dos anovulatórios, dos métodos de contracepção, que iriam contribuir, conforme tem acontecido, para a drástica diminuição do hediondo crime do abortamento. Com plena integração nas pesquisas, tornou-se considerado cientista nessa área, com os seus colegas logrando ampliar os conhecimentos em torno da fecundação humana.

Com o avanço da óptica e da tecnologia em torno da fabricação dos microscópios, especialmente os eletrônicos, pôde adentrar-se na compreensão do *milagre da fecundação humana*, selecionando óvulos e espermatozoides, em tentativas do que seria no futuro a grandiosa realização da *fertilização in vitro*, da inseminação artificial, facultando a milhares de pessoas a oportunidade anelada de conseguir a procriação...

À medida que ocorria maior conscientização da sociedade em torno do uso dos anticonceptivos, lutando contra o fanatismo de alguns segmentos religiosos intolerantes, tomou conhecimento dos estudos profundos em torno do DNA e da provável futura decodificação do genoma humano, que não teve oportunidade de ver concluído esse extraordinário projeto, cujo primeiro rascunho foi apresentado ao mundo, por primeira vez, em junho do ano 2000, e confirmado, mais tarde, em abril de 2003, por ocasião da comemoração dos cinquenta anos da descoberta da dupla hélice do DNA pelos cientistas Drs. James Watson e Francis Crick...

Desencarnou como um justo, de certo modo, de exaustão decorrente dos trabalhos severos e contínuos, vitimado por uma parada cardíaca, que não lhe conseguiu encerrar a audaciosa carreira científica, prosseguindo-a, na Espiritualidade, quando retornou...

Deixou viúva uma dedicada companheira, também médica estudiosa e trabalhadora na área da infectologia, assim como dois filhos adultos...

Considerado um triunfador na missão abraçada, hoje é tido, entre nós, como respeitável apóstolo no campo da fecundação humana, especialista em reencarnações.

Seria sob o comando desse eminente Espírito que, aproximadamente, quinhentos obreiros retornaríamos ao amado planeta para a preparação da nova era, abrindo espaço para as reencarnações em massa dos migrantes de uma das estrelas da constelação das Plêiades, na tarefa sublime de ajudar a Terra a alcançar o patamar de *mundo de regeneração.*

É certo que outras equipes já nos haviam precedido para esse mister, muitas outras conquistariam diferentes países do orbe e, mesmo nas terras abençoadas do Cruzeiro do Sul, incontáveis laboriosos servidores de Jesus cuidariam de realizar atividades semelhantes.

Nós éramos apenas um ensaio em experiência profícua, um quase nada, embora portadores de significado espiritual.

Os responsáveis pelos diversos grupos vinham, há mais de um decênio, planejando, em nossa Colônia, assim como em muitas outras – desde que o projeto era internacional e sem limites – programas cuidadosos, a fim de que os Espíritos abençoados pudessem encontrar os recursos hábeis para os seus ministérios, nos dias próximos do futuro.

Foi, portanto, com emulação de felicidade superior, que, na noite estabelecida para o primeiro contato, rumamos, Ivon e nós outro, na direção do templo ecumênico, já referido anteriormente, onde nos reuniríamos, a fim de nos encontrarmos para conhecer as diretrizes seguras elaboradas para o novo programa especial.

Às 19h30, dirigimo-nos a um recinto de menores proporções do que o anterior, fazendo-nos recordar um anfiteatro grego, coberto por uma substância transparente que nos permitia ver a noite esplendorosa com os seus crisântemos estelares lucilando ao longe.

Suave melodia que se exteriorizava do órgão, repletava o ambiente com harmonia musical.

Os convidados especiais, aqueles que participariam do inusitado evento, joviais e encantadores, lotavam o auditório.

À hora estabelecida, tivemos o imenso prazer de ver adentrar-se o governador da nossa Colônia, acompanhado por outros administradores dos diferentes setores, que foram conduzidos, respectivamente, à mesa diretora e às cadeiras reservadas à frente.

Criada por abnegados servidores de Jesus, sob os auspícios de Francisco de Assis, nossa Colônia alberga uma considerável população de Espíritos que viveram no Brasil e alguns outros originários da cultura francesa, que se fixaram no solo auriverde, nas mais recentes existências.

Todos quantos nos encontrávamos no auditório, com algumas exceções, havíamos militado, quando na Terra, nas hostes de *O Consolador*, conforme a revelação espírita, sendo que, outros, embora sem o conhecimento da Doutrina apresentada por Allan Kardec, em razão dos seus atos, poderiam ser considerados conforme os denominara o codificador, como *espíritas pelo coração.*

O mestre de cerimônias era o Espírito José Lopes Neto[*] que se encontrava envolto por tênue e brilhante claridade opalina, que lhe traduzia a elevação intelecto-moral.

De imediato, a solenidade teve início, sendo anunciada uma jovem cantora que, acompanhada pelo órgão, apresentou a bela peça religiosa *Panis angelicus*, de autoria de Santo Tomás de Aquino, para a obra *Sacris solemniis*, e que fora musicada por César Frank em 1872, criando uma psicosfera de altíssimas vibrações.

Em seguida, foi composta a mesa central, sendo convidado o Dr. Artêmio Guimarães, e, para encantamento de todos, acompanhamos a entrada do *Pobrezinho de Assis*, para surpresa geral, acompanhado pela irmã Clara, no esplendor da juventude e da beleza, e mais alguns companheiros das primeiras horas da sua revolução de amor no passado...

O santo irradiava bondade transcendente, como jamais nós tivéramos ocasião de vivenciar, com um semblante suave e doce, trajando as vestes gastas dos seus primeiros dias de ministério na Terra, e o ar vibrava de dúlcidas energias canoras e coloridas.

Recepcionados, à entrada, por uma comissão adrede organizada, foram conduzidos à mesa os dois apóstolos esposos da *Irmã Pobreza*.

Estávamos extasiados, respirando em ritmo inusitado.

Após a oração de abertura, proferida pelo nosso governador, Lopes Neto anunciou a palavra do nosso diretor, Dr. Artêmio, entretecendo ligeiras considerações em torno das suas responsabilidades e apresentando alguns dos seus traços biográficos.

O respeitável cientista acercou-se da tribuna, exteriorizando a nobreza de que se encontrava investido, e deu início à sua mensagem:

– Nobres mentores que nos honrais com as vossas presenças.

Queridas irmãs e queridos irmãos em Jesus-Cristo:

Louvemos o Senhor e cantemos-Lhe hosanas!

A lei de progresso é incontestável, e o amor de nosso Pai

é incomensurável, proporcionando a tudo e a todos contínuo aprimoramento que os levará às culminâncias da plenitude.

Conforme assinalado por Jesus, no sermão profético *registrado pelo evangelista Marcos, no capítulo 13 e seus versículos, vivemos a época dos sinais representativos das grandes mudanças que se operarão no planeta terrestre ao largo dos evos.*

Posteriormente confirmadas as graves revelações por João evangelista, no seu memorável Apocalipse, *vivemos já esses dias significativos, anunciadores das grandes transformações que se vêm apresentando no orbe amado.*

Muito antes deles, os profetas Isaías, Enoque e outros, também assinalaram os acontecimentos que deveriam suceder, graças aos quais um novo mundo rico de bênçãos surgiria para a Humanidade.

Por sua vez, o calendário maia igualmente registra os graves sofrimentos para as criaturas terrestres deste período, com grande margem de acerto...

Nostradamus, o mais célebre dos profetas, teve ocasião de assinalar os eventos dolorosos que se abateriam sobre os seres humanos, caso permanecessem nos comportamentos arbitrários que se têm permitido.

Mais recentemente, Edgar Cayce previu mudanças muita acentuadas na geografia terrestre, em várias partes do seu país e noutros continentes, como resultado de fenômenos sísmicos definidores do novo mundo...

... E multiplicam-se, ao longo da História, as revelações em torno das ocorrências afligentes que se vêm apresentando em toda parte, chamando a atenção das criaturas humanas, que permanecem descuidadas, absorvidas pelos vapores do prazer e dos gozos desgastantes.

Os Espíritos do Senhor também referiram-se a esse respeito a Allan Kardec, durante a codificação dos seus ensinos, elucidando que ocorrências trágicas assolariam o planeta, trabalhando-lhe as estruturas físicas, morais e espirituais.

Periodicamente, profetas de ocasião e sensitivos dignos expressam os seus sentimentos e preocupações em torno das grandes mudanças que já acontecem, mas que se tornarão mais expressivas, caso a sociedade prossiga na correria desenfreada dos descalabros morais provocados pelo egotismo a que se aferra.

Tais fatalidades se expressam como efeito dos comportamentos primitivos que ainda nos permitimos, distanciados dos ensinamentos libertadores apresentados por Jesus, e de fácil vivência, desde que aplicados aos conceitos morais e espirituais vigentes na sociedade engessada na ignorância e no materialismo, mesmo aquela que se vincula teoricamente a determinadas crenças religiosas.

De certo modo, a paisagem das revelações apresenta-se dantesca, temerária.

Não obstante a valiosíssima contribuição, em torno dos acontecimentos lutuosos, tem havido um grande olvido a respeito daquilo que acontecerá depois das ocorrências destruidoras.

Todas as profecias, no entanto, afirmam que surgirá um mundo melhor, uma nova Jerusalém, terras onde manarão leite e mel, paraíso de luz e beleza, por que não dizer, o reino dos céus na Terra mesma...

...E essa revelação é esquecida, porque ainda predomina em o espírito humano o interesse de informar sobre o apavorante e ameaçador, com esquecimento, proposital ou não, em torno das benesses do amor e da misericórdia de Deus para com as Suas criaturas.

Quando o evangelista João ouviu as graves revelações seu coração ficou pesado, *e ele perguntou:* – Não há esperança?

> *Havia muita aflição no* discípulo amado, *que logo escutou a resposta formosa:* Sempre há esperança, ó tu, para quem o céu e a terra foram criados...
>
> *Uma* segunda possibilidade *faz parte dos divinos planos, desde que as criaturas correspondam à expectativa do amor, gerando novos recursos em torno do bem, que produzirão efeitos edificantes.*
>
> *Assim prossegue o grande vidente do* Apocalipse*:* Mas eu não vi o que aconteceu a eles, pois a minha visão mudou, e eu vi um novo céu e uma nova terra; pois o primeiro céu e a primeira terra haviam acabado... *A emoção tomou o apóstolo que então exultava, quando ouviu uma grande voz (dos seres angélicos) que dizia:* Não mais haverá morte, nem tristeza, nem choro, nem haverá mais dor.

Houve uma pausa alentadora, diminuindo as preocupações dos ouvintes em relação aos acontecimentos afligentes em pauta.

Pessoalmente, sempre me detivera na revelação do desespero, não nos efeitos decorrentes, quando chegasse o período de bênçãos, logo após as grandes calamidades, no mundo renovado.

A seguir, o digno mensageiro deu continuidade à peroração:

> *Ocorrerão essas bênçãos, porque Espíritos não comprometidos com o mal estarão no planeta construindo o reino dos céus nos corações e trabalhando eficazmente em favor da solidariedade atendida pelo amor.*
>
> *Virão apressar o progresso moral, utilizando-se do intelectual e tecnológico para promover a fraternidade entre os povos, a fim de que os mais poderosos ajudem no desenvolvimento dos menos aquinhoados, substituindo a*

guerra pela solidariedade, a escravidão decorrente do comércio perverso pela liberdade de escolha e de trocas, combatendo as doenças pandêmicas e endêmicas, as degenerativas, que já não se justificarão, porque os membros da formosa família não estarão assinalados pelos débitos de grande porte...

O planeta renovado na sua constituição física, harmonizadas as placas tectônicas, diminuída a alta temperatura do magma vulcânico, muitos cataclismos que o assolavam e destruíam, desaparecerão, a pouco e pouco, apresentando-se com equilíbrio de temperatura, sem os calores calcinantes, nem os frios enregelantes, e com paisagens edênicas...

Adaptando-se às novas condições climáticas, o organismo físico experimentará modificações especiais, em razão também dos seres que o habitarão, imprimindo nele outros valores fisiopsicológicos, que irão contribuir para a sua evolução espiritual.

Será nesses corpos que estarão reencarnadas multidões de visitantes benéficos, contribuindo para o progresso da humanidade.

Concomitantemente, aqueles que puderem fruir desse momento, após a grande transição, graças ao pensamento e à iluminação interior, libertar-se-ão de órgãos *desnecessários, mantendo formas gráceis e leves, compatíveis com a futura atmosfera física e moral da Terra feliz.*

Nesse comenos, os irmãos geradores de distúrbios e de conflitos, os guerreiros contumazes e os arruaceiros, aqueles que se comprazem nos campeonatos da perversidade, por sintonia vibratória transferir-se-ão para outro planeta cuja psicosfera seja compatível com as suas condições, recebendo-os em exílio temporário, quando aplicarão os conhecimentos tecnológicos para auxiliar os seus habitantes, sofrendo a dor da saudade, da se-

paração dos afetos, e preparando-se moralmente para o retorno, para a ascensão...

Nunca se perdem os valores ante os Divinos Códigos, e o Pai Amantíssimo vela pelo Universo, havendo delegado a Jesus a criação e a governança da Terra, que vem conduzindo com inefável amor e ímpar compaixão, a fim de que os seus habitantes nos despojemos das imperfeições que nos retêm na retaguarda, e, como filhos pródigos, *retornemos ao Seu rebanho.*

Novamente silenciou emocionado. Luzes diáfanas adornavam-no, à medida que falava, oferecendo-nos uma voz doce e inesquecível.

Continuando, afirmou:

– Muitos de nós, equipamo-nos dos conhecimentos próprios nas áreas da genética, da embriologia e da embriogenia, a fim de prepararmos os corpos que acolherão por algum tempo, no claustro da maternidade, esses mensageiros do amor e da misericórdia na sua peregrinação terrestre...

A nossa excursão ao planeta amado objetiva preparar a sociedade para o esforço sublime da grande transição.

O tempo urge, e é necessário recuperar os dias malbaratados nos jogos viciosos da ilusão.

Necessitamos da contribuição oracional de todos, suplicando ao santo Poverello, *que interceda a Jesus por nós, Seus obreiros imperfeitos que reconhecemos ser.*

Exorando a excelsa misericórdia do amor para todos, agradecemos a vossa atenção e aquiescência em nos ouvir, assim como vós outros em participardes do futuro empreendimento preparatório da nova era.

Permaneça a paz em nossos corações.

Um profundo silêncio, feito de emoção e reconhecimento, dominou todo o auditório enlevado.

Nesse momento, o *santo de Assis* levantou-se, dirigiu-se à tribuna, e, nimbado de claridades siderais, exorou, emocionado:

Mestre sublime Jesus:

Fazei que entendamos a Vossa vontade e nunca a nossa, entregando-nos às Vossas mãos fortes para conduzir-nos;

permiti que possamos desincumbir-nos dos deveres que nos cabem, mas, não conforme os nossos desejos;

lançai Vosso olhar sobre nós, a fim de que tenhamos a claridade da Vossa ternura, e não as sombras da nossa ignorância;

abençoai os nossos propósitos de servir-Vos, quando somente nos temos preocupado em utilizar do Vosso santo nome para servir-nos;

envolvei-nos na santificação dos Vossos projetos, de forma que sejamos Vós em nós, porquanto ainda não temos condição de estar em Vós;

dominai os nossos anseios de poder e de prazer, auxiliando-nos na conquista real da renúncia e da abnegação;

ajudai-nos na compreensão dos nossos labores, amparando-nos em nossas dificuldades e socorrendo-nos quando mergulhados na argamassa celular;

facultai-nos a dádiva da Vossa paz, de modo que a distribuamos por onde quer que nos encontremos e todos a identifiquem, compreendendo que somos Vossos servidores dedicados...

... e porque a morte restituiu-nos a vida gloriosa para continuarmos a trajetória de iluminação, favorecei-nos com a sabedoria para o êxito da viagem de ascensão, mesmo que tenhamos de mergulhar muitas vezes nas sombras da matéria, conduzindo, porém, a bússola do Vosso afável coração apontando-nos o rumo.

Senhor!

Intercedei, junto ao Pai Todo Amor, por Vossos irmãos da retaguarda, que somos quase todos nós, os trânsfugas do dever.

As últimas palavras foram enunciadas com a voz embargada pela emoção.

A um sinal de Lopes Neto, o organista começou a dedilhar o teclado com harmonia.

Flocos de luz desciam suavemente ao ritmo da melodia que escutávamos, e, automaticamente, pusemo-nos a abraçar-nos, seguindo o exemplo dos nobres membros da mesa diretora.

A reunião fora encerrada com especial onda de ternura e de beleza.

(*) José Lopes Neto – nasceu em 1882, na capital paranaense, Curitiba, e era filho de Genésio Lopes e Clara Lopes. Com apenas 22 anos, em 11 de novembro de 1904 foi conduzido ao cargo de 2º Secretário da Diretoria da Federação Espírita do Paraná e desencarnou aos 35 anos, após haver desempenhado papel de grande relevância na Federação Espírita do Paraná, tendo exercido vários cargos de diretoria. Médium *vidente, sonambúlico, psicógrafo, audiente, orador vibrante e vibrátil,* segundo Dr. Lins de Vasconcellos, foi, verdadeiramente, um espírita-cristão.
Nota da editora.

14

DIRETRIZES PARA O FUTURO

Todos permanecemos em êxtase ante as palavras do Mentor e a prece do *santo de Assis.*

Parecia que todos temíamos que fosse quebrada a vibração de amor transcendente que repletava o auditório e nos inundava interiormente.

Terminados os abraços, acercamo-nos, em fila indiana, do estrado onde se encontrava a mesa presidencial, pois que todos desejávamos manter um contato, rápido, que fosse, com os venerandos benfeitores que participaram da reunião.

Lenta e ordeiramente acercamo-nos, e, quando chegou a nossa vez, o amigo Lopes Neto informou ao Dr. Artêmio que nós, Ivon e este servidor, estaríamos mais próximos dele durante a excursão ao mundo físico.

Jovialmente, sorriu-nos e abraçou-nos, com a generosidade de pai afetuoso que parecia conhecer-nos talvez desde antes...

Não me foi possível dirigir-lhe uma palavra sequer, ouvindo-o nos recônditos da mente e do coração.

Logo vim a saber que ele ficaria em nosso plano, de onde dirigiria o trabalho dos grupos, sendo que cada um teria um responsável que o representaria.

Ato contínuo, aproximamo-nos dos *santos de Assis,* e não pude resistir ao seu enternecimento, sendo dominado pelas lágrimas que aljofravam espontâneas, demonstrando a nossa pequenez diante da sua magnitude.

A humildade incomum e o sorriso de afeto e compaixão bailavam nos seus olhos e faces, facilitando o intercâmbio de amor.

Beijamos-lhes as mãos que se santificaram na caridade e somente logrei dizer, trêmulo: – Deus vos abençoe! Muito obrigado!

Fiquei impregnado pelo seu enternecimento por largo período após aquele momento.

Antes que os mensageiros da Úmbria retornassem aos seus ninhos de luz, o companheiro Lopes Neto informou que, dentro de 15 minutos, cada grupo, conforme ele enunciava, deveria reunir-se em determinado lugar, no mesmo edifício, a fim de receber as instruções dos seus respectivos dirigentes.

Logo estabeleceu-se uma azáfama, porém, destituída de agitação e vozerio, dirigindo-se cada equipe ao setor indicado.

A nossa estava constituída por vinte Espíritos dedicados ao trabalho de desobsessão e de esclarecimentos espirituais, alguns procedentes também do departamento de reencarnações, que haviam participado dos preparativos do empreendimento, havendo-se adestrado nos mecanismos próprios para os labores de fecundação e de concepção.

Quando chegamos à sala em que receberíamos as competentes orientações, pudemos conhecer com mais intimidade os diferentes membros que participariam do labor edificante.

Todos se encontravam emocionados e desejosos de servir com extremo devotamento à causa do Bem, sentindo-se ditosos por fazerem parte do momento de construção do novo mundo.

Pairavam no ar melodias inarticuladas, como onomatopeias da noite coruscante de estrelas.

Dr. Artêmio encontrava-se assessorado por diversos instrutores que o representariam em cada equipe, enquanto que ele supervisionaria de nossa comunidade todos os labores.

Desse modo, apresentou-se-nos o irmão Dr. Sílvio Santana, dedicado membro das equipes do Departamento de reencarnações que, na Terra, fora médico obstetra e geneticista devotado, estudioso da reprodução humana.

Coube-lhe esclarecer-nos alguns pontos do mister a que nos dedicaríamos durante as próximas oito semanas, abrindo espaço a perguntas, que não foram muitas, sendo, porém, bem respondidas.

Participaríamos de atividades de selecionamento de casais para receber como filhos os visitantes de mais além, de modo que lhes fosse possível alcançar as metas superiores que anelavam, iniciando o ciclo dos renascimentos no mundo terrestre até quando estivessem colocadas as balizas da era de regeneração.

Iríamos utilizar-nos de pessoas que anelavam pela patermaternidade e tinham dificuldades de reprodução por vários fatores, recorrendo aos métodos da concepção artificial, com posterior implantação dos ovos, em pleno processo de reencarnação dos Espíritos que viriam trabalhar pelo bem, na Terra em renovação.

Outrossim, deveríamos dar assistência moral e espiritual aos futuros genitores, para que não se permitissem influenciações negativas, nem vinculações com as Entidades perversas que pululam na face do planeta, ociosas umas, vingadoras outras, invejosas, em grande número, perturbadoras por prazer, em expressão surpreendente.

Imaginava, desde aquele momento, o significado grandioso do intercâmbio espiritual entre as duas esferas da vida, compreendendo o poder do amor na construção da sociedade, que é sempre a mesma, quer se encontre no corpo físico ou fora das amarras materiais.

A reunião transcorreu em clima de afeto com perspectivas de muita ação.

Duas horas depois, aproximadamente, deveríamos encontrar-nos na praça do templo ecumênico, a fim de nos dirigirmos às queridas paisagens brasileiras onde todos ficaríamos, embora em cidades diferentes.

Cada equipe se encarregaria de laborar em uma área adrede selecionada, enquanto que todas permaneceriam vinculadas ao Dr. Artêmio, que se sediaria na região espiritual geográfica próxima à capital de Minas Gerais.

Quando retornamos, a fim de darmos início à jornada, em plena praça, sob as bênçãos luminosas das estrelas refulgentes, fomos convidados a uma oração, silenciosamente, formulada no âmago dos melhores sentimentos.

Logo depois, tomamos os veículos que se destinavam aos núcleos anteriormente preparados para receber-nos, e que nos serviriam de sede para a ação, para o repouso, para planejamentos, para avaliação e estudos...

É certo que outras caravanas já vinham visitando a Terra com o mesmo objetivo, desde os anos da década de 1970/80, tomando as providências compatíveis para as reencarnações valiosas. Agora, no entanto, soava o momento de intensificar o intercâmbio entre os terrícolas e os visitantes de Alcíone, que já se movimentavam em torno da psicosfera do planeta, aguardando o momento adequado.

Tomei conhecimento de que um grande número deles encontrava-se em Colônias próximas da Terra, assimilando o psiquismo do orbe, assim como dos seus habitantes, visitando sociedades espíritas que mantêm ligação com as Esferas superiores, onde alguns se comunicavam, explicando a razão de ali se encontrarem.

Estávamos, portanto, em grande ebulição emocional, movimentando-nos dentro de rigoroso programa de ação bem dirigido, tendo em vista o futuro da sociedade.

Ivon e nós outro convivíamos mais intimamente, embora a amizade espontânea que nos vinculava uns aos outros em toda a equipe.

A nossa primeira atividade estava programada para a noite seguinte, quando estariam reunidos em uma praia do litoral brasileiro, mais de dez mil alienígenas desencarnados para ouvirem a palavra do Dr. Artêmio, a respeito dos compromissos de autoiluminação e de desenvolvimento espiritual da Terra.

Desse modo, passamos a utilizar-nos das horas, sem compromissos formais, realizando visitas afetuosas aos familiares que ficaram no mundo físico, a instituições espíritas dedicadas ao ministério da desobsessão, a hospitais psiquiátricos espíritas, a fim de observarmos a aplicação dos valiosíssimos recursos da doutrina, no atendimento aos seus pacientes...

Quando abraçamos o trabalho, o tempo urge e nunca parece suficiente para o atendimento de tudo quanto nos cabe realizar.

Assim, fruímos o prazer do convívio com outros amigos espirituais encarregados desses misteres, renovando-nos interiormente e alegrando-nos sobremaneira pelas suas realizações abençoadas, até o momento quando nos demos conta do dever maior, que logo mais deveríamos atender.

Rumamos, felizes, ao litoral brasileiro, numa faixa entre o mar e as montanhas, rica de plâncton e de vibrações puras, não contaminadas pelas mentes em desalinho, nem a atmosfera sobrecarregada de gases venenosos.

A noite clara e rica pelos sons da Natureza era um convite à reflexão e à oração.

Na imensa faixa de terra, que as rendas brancas produzidas pelas ondas lavavam ternamente, encontravam-se os milhares de Espíritos reunidos, aguardando.

Era o teatro natural, conforme Jesus muitas vezes utilizara, desde o momento em que cantou a *Sinfonia das Bem-aventuranças*, assim como o sublime encontro no Tabor, ou nas praias do mar da Galileia, atendendo as multidões esfaimadas de pão, de paz e de luz...

Escutava-se a música da brisa noturna e sentiam-se as vibrações de harmonia que pairavam no ar.

Sobre uma pedra vulcânica, que se destacava na praia, estavam o Dr. Artêmio, diversos chefes de equipes e alguns auxiliares que me eram desconhecidos.

Após uma oração ungida de amor e de fé, nosso mentor começou a explicar:

– São chegados os grandes e nobres dias do Senhor da Vinha.

"Viestes de outra dimensão para contribuir com o Libertador de consciências terrestres e aceitastes a incumbência de cooperar na construção da era da paz e do amor.

"Estais acostumados com a harmonia no mundo em que habitais, onde não mais existem o sofrimento nem o desespero, o crime nem a hediondez.

"Ireis enfrentar refregas difíceis no trato com a violência e a revolta, remanescentes do primarismo que ainda vige em incontáveis criaturas do nosso planeta.

"Sereis convidados a demonstrar fraternidade, quando irromperem conflitos e dissidências; enfrentareis a maldisfarçada animosidade entre aqueles com os quais convivereis;

devereis suportar o aflitivo peso da insatisfação constante daqueles que farão parte do vosso clã e dos vossos programas de atividades; lutareis com os instrumentos da amizade contra o ódio contumaz e ferrenho; tereis que entender os agressores, que nunca procuram compreender o outro e sempre se acreditam com a razão; sofrereis a calúnia e a perfídia, a competição doentia e a ingratidão daqueles em quem depositareis confiança e generosidade; distorcerão vossas palavras e vos ameaçarão com as mais covardes maneiras de comportamento; experimentareis o opróbrio e a humilhação... No entanto, Jesus estará convosco em todos os momentos.

"Caminhareis por estradas pedregosas e assinaladas por impedimentos, mas isso não vos constituirá problema, porque estais acostumados a superar óbices e ganhar alturas.

"Em todas as situações, recordai-vos que sois hóspedes do planeta em transição, convidados a torná-lo um paraíso, após as tormentas contínuas que o sacudirão.

"Triunfareis, se permanecerdes fiéis ao amor e à fraternidade, abertos à compaixão e à misericórdia.

"Visitai os lares onde ireis habitar, treinando paciência e coragem ao lado das futuras famílias, não habituadas aos padrões de bondade e de justiça, de compreensão e de equidade.

"Deixai-vos enternecer pelos irmãos da agonia que ainda enxameiam em nosso amado planeta, confortando-os, desde logo, inspirando-lhes alegria de viver e gratidão a Deus pela oportunidade de crescimento moral e espiritual.

"Sereis o *sal da terra*, mantendo-lhe o sabor, a fim de tornar melhores os dias em que vivereis no corpo somático.

"Experimentareis a constrição da indumentária carnal, tentando aprisionar-vos nas roupagens fortes da matéria, no entanto, nas horas do repouso físico, volvereis à nossa esfera de ação, onde sereis reconfortados e encorajados ao prosseguimento missionário.

"Embaixadores do Bem, permanecei na batalha em prol da paz, amando sempre, sem vos armardes de qualquer instrumento emocional de beligerância ou de animosidade.

"Sede bem-vindos à Terra!

"Que Deus vos abençoe o ministério programado por Jesus!"

Houve um silêncio feito de alegria e de esperança.

Outros membros da administração entreteceram ligeiras considerações em torno do fenômeno do renascimento, utilizando-se de apontamentos do querido geneticista, referindo-se a algumas dificuldades para os fenômenos da fecundação e da concepção, quando o ovo se fixa nas paredes do endométrio feminino.

Foram referidas as grandes conquistas das modernas ciências que estudam a reprodução humana e, com frequência, sugestões para que a prece como ciência do intercâmbio com o Divino fosse utilizada ao máximo possível.

Terminada a apresentação do programa para todos, os futuros reencarnantes e nós outros, os obreiros da preparação, misturamo-nos com os convidados e outras equipes, entretecendo considerações a respeito do inusitado labor que se desenhava para o futuro.

É verdade que uma incontida alegria visitava-nos a todos ali presentes, mantendo a expectativa do desempenho exitoso.

Logo chegou o momento em que deveríamos retornar aos nossos campos de ação e repouso, enquanto que os visitantes de bela aparência e portadores de sabedoria, rumaram na direção dos destinos que os aguardavam.

Fomos despedir-nos do Dr. Artêmio, com quem não teríamos contínuas oportunidades de conviver, em razão dos graves compromissos a que estava submetido, havendo sido tratados com bonomia e atenção.

Pude observar o número de Espíritos encarnados em parcial desdobramento, que se movimentavam em nosso mundo de vibrações, sem a menor noção da ocorrência, sem conseguirem qualquer contato lúcido, dominados pelos interesses que os tipificavam, mantendo as mesmas paixões e sentimentos de quando se encontravam despertos no corpo físico.

Vez que outra, porém, podíamos ver as luzes de verdadeiras cortes que visitavam a Terra, chegando ou retornando, como claridades divinas abençoando a imensa noite que invadia o planeta naquela área.

15

EXPERIÊNCIAS ILUMINATIVAS

Antes do retorno, conhecemos superficialmente os Espíritos que estariam sob a direção do nosso mentor, com os quais deveríamos participar no seu processo de renascimento na matéria densa.

Segundo informações do Dr. Sílvio, eram aproximadamente mil, que também deveriam seguir-nos para o acampamento adrede construído pelos especialistas nessa área, que nos haviam antecedido.

Ao primeiro ensejo, a programação previa um encontro entre os visitantes e os transeuntes do carreiro carnal, o que ficou estabelecido para a noite seguinte.

Durante o dia mantivemos contatos afetuosos com alguns deles, dialogando, ouvindo-os em suas belas narrações a respeito da vida que desfrutavam em Alcíone.

As palavras do meu vocabulário são insuficientes para repetir as narrações através de projeção mental por eles propiciada, dando-nos uma ideia ainda que imperfeita do esplendor do Reino, que a todos nos aguarda, na marcha sublime da evolução.

Pude aquilatar a respeito da sábia informação de Jesus, quando se referiu, conforme João 14:1 e 2: – Não se turbe o vosso coração; crede em Deus, crede também em mim. Na Casa de meu Pai há muitas moradas...

Não poderia ser diferente. Caso fosse a Terra privilegiada exclusivamente com habitantes, e inúteis seriam os bilhões de astros que gravitam no Universo, produzindo a sinfonia intérmina e majestosa da Criação...

Invariavelmente, temo-nos detido nas informações sobre transtornos de conduta e obsessivos, sofrimentos de todo porte, incompletude, regiões de prova e de purgação, campos de expiação e de padecimentos inenarráveis, no Além-túmulo. É natural que assim o façamos, de modo a despertarmos a consciência adormecida dos Espíritos que se encontram na roupagem carnal, comprometendo-se com o mal, em vez de reabilitar-se; navegando contra a correnteza, em vez de avançarem no rumo do porto de segurança... No entanto, a respeito dos mundos felizes, nas suas constituições físicas e espirituais, não encontramos as palavras próprias para traduzirem a beleza e a harmonia que neles existem.

Em nossa esfera de ação espiritual, por exemplo, as paisagens são ricas de tonalidades incomparáveis, nasceres e pores-do-sol portadores de luzes em tons indefiníveis, jardins e nascentes de água cristalina, em jorros intermináveis, flores em festões multicoloridos e perfumes suaves penetrantes, educandários e teatros para a formação intelecto-moral, hospitais e sanatórios modelares, que deverão inspirar as futuras construções terrestres, conforme já vem acontecendo, galerias de arte em todos os gêneros, em que nobres artistas aprimoram a capacidade de registro para tornarem a Terra um planeta paradisíaco...

Laboratórios de planejamento e de projetos relevantes, com o objetivo de serem realizados descobrimentos das Leis que regem o planeta e o Cosmo, trabalhando-se afanosamente para erradicar as doenças e os distúrbios que ainda predominam no orbe, encontros enriquecidos de sabedoria com debates e conversações superiores sobre a vida e a sua finalidade existencial...

Universidades para aprofundamento dos conhecimentos mais avançados, preparando equipes de Espíritos iluminados pelo amor e pelas informações culturais, que têm por missão preparar as gerações novas e sucessivas em relação ao futuro da humanidade feliz...

Espetáculos de luzes e de sons em contato direto com a Natureza, que também se veste de preciosas indumentárias vibratórias para edificar-nos e ajudar-nos a abençoá-la com a nossa gratidão, dramas e jograis de superior qualidade, não podendo esquecer as bibliotecas vivas, em que os livros são portadores das imagens dos que os escreveram e trazem-nos de volta, incluindo as suas emoções, videotecas e imagens virtuais em computação especial, comunicações televisivas superiores, tudo direcionado para a dignificação do ser e sua conquista interior...

Nem sempre ao alcance de todos, recintos onde se encontram arquivadas as experiências transatas dos habitantes locais, às quais somente têm acesso aqueles que atingiram expressivo patamar de evolução, de modo que, consultando o passado, podem desenhar o futuro, superando-se nos embates íntimos...

A vida é um hino de magnitude imensurável homenageando o Criador.

Mesmo quando impõe as necessidades de reabilitação mediante o sofrimento, a beleza da justiça expressa-se gratificante, propondo esperança e oportunidade a todos, em demonstração insofismável de que somente existe o amor em toda parte, apresentando-se de acordo com os níveis de evolução de cada ser e de cada comunidade, como a essência da vida, fundamental para preservar o Espírito imortal.

Em suas narrações, os novos amigos alienígenas falavam-nos de emoções que ainda não vivenciáramos, apresentando-nos paisagens iridescentes, para nós, totalmente desconhecidas, sons e harmonias que nunca tivéramos ocasião de sentir, sendo as suas construções feitas de energia modelada, que a mim escapava a constituição, por ser facilmente manipulada pela mente espiritual, conforme nos elucidavam.

A fraternidade apresentava-se de maneira sublime, como nunca imaginara ser possível.

A harmonia existente entre a flora e a fauna, que se mesclam interdependentes, faz que se destaque o Espírito glorioso destituído de órgãos que enfermam, embora ainda usando roupagem transitória, com vistas ao progresso infinito que lhe está reservado.

Podemos ver, numa das suas projeções mentais em nosso diálogo, o santuário de orações, deslumbrante, dedicado à exaltação e gratidão a Deus, e onde se comunicam os guias da estrela de primeira grandeza, glorificando o Criador.

Também, a mim chamaram-me a atenção, a atividade contínua, o trabalho de edificação incessante, porque o vazio, o ócio, o desfrutar sem contribuir são páginas enganosas do pensamento e da emoção doentios.

Em conversação com alguns deles mais acessíveis, fomos informados de que a reencarnação, de alguma forma, lhes constituiria um grande esforço de amor em favor da Humanidade terrestre, por *asfixiá-los no corpo denso*, limitando-os em todos os sentidos. No entanto, espontaneamente ofereceram-se para contribuir em favor do desenvolvimento espiritual da Terra, sem considerarem tal oferenda como um holocausto.

Deixar, mesmo que, por um breve período, o mundo de esplendor pelo de sombras, era a demonstração viva do poder do amor, conforme Jesus no-lo apresentou e o viveu, convidando-nos a fazer o mesmo.

As muitas informações que nos transmitiram durante o convívio que precedeu à primeira realização em conjunto, ficariam impregnadas no ser que sou de maneira indelével, proporcionando-me o sonho de alcançar, também, um dia, uma dessas moradas, naturalmente acompanhado pelos afetos da longa jornada evolutiva, porque não há paraíso, quando nos encontramos, seja onde for, sem a presença daqueles que sempre compartiram conosco as lutas e os sofrimentos...

O futuro, portanto, pertence-nos e convoca-nos ao avanço.

A noite tornara-se plena e o sono dominava a maioria dos habitantes terrestres da área onde deveríamos operar.

Destacados companheiros de nosso plano foram encarregados de conduzir aproximadamente duzentos e cinquenta casais ao nosso acampamento, em parcial desdobramento pelo sono.

Carinhosamente conduzidos, no entorpecimento natural, à medida que eram alojados no imenso pavilhão que lhes estava reservado, iam despertando suavemente, mantendo a relativa lucidez do estado evolutivo em que se encontravam.

Sempre acompanhados por um dos encarregados de conduzi-los e cuidá-los, enquanto em nossa esfera, tomavam conhecimento do que lhes ocorria, podendo traduzir depois como sonhos de contornos irregulares, mas cujo conteúdo ficaria impregnado no cerne do ser.

Em menos de meia hora estávamos todos no recinto, formando um expressivo número de atentos ouvintes das explicações que passaram a ser ministradas pelo Dr. Sílvio.

Inicialmente foram convidados os futuros reencarnantes para que se acomodassem numa ala do imenso auditório, nós outros, os cooperadores, no lado oposto e, no centro, os recém-chegados da esfera carnal.

O eminente geneticista iniciou a sua explicação, após a saudação cordial, elucidando:

– Aqui estamos todos, a fim de travarmos o primeiro contato espiritual, para podermos definir rumos para o futuro.

"Todos que viestes trazidos, acalentais o desejo da procriação, alguns dos quais, já experientes no mister, em razão dos filhos que recebestes no regaço.

"Inicia-se uma era nova para a sociedade terrestre e estais convidados, por vosso próprio merecimento, a participar do grandioso acontecimento.

"Vossas existências têm sido saudáveis, a vossa conduta encontra-se apoiada nos valores éticos do bem, mantendes compromisso religioso com diversas denominações religiosas, e esforçai-vos para encontrar a paz e a plenitude...

"É natural, portanto, serdes eleitos para receberdes no seio afetuoso alguns dos missionários do porvir, na condição de filhos diletos dos vossos sentimentos.

"Vivemos um momento muito grave na sociedade terrestre, assinalado pela violência, pelo desvario moral, pela usança de drogas perturbadoras, pelos vícios, ditos sociais, perversos e destrutivos, pelo desrespeito aos Divinos Códigos, à Natureza e às suas criaturas...

"Compreensivelmente, por imposição da força irrevogável da lei do progresso, desenha-se um novo mundo de harmonia, que se implantará lentamente, à medida que se diluam as densas sombras da ignorância e da crueldade que predominam em quase toda parte.

"Ireis fazer parte desse movimento renovador, no momento em que graves ocorrências dolorosas enlutarão famílias incontáveis e esfacelarão muitas existências, quando escassearem os sentimentos de solidariedade e de compaixão ante a volúpia do prazer e da fuga da realidade...

"Nada obstante, estareis educando aqueles que irão modificar essas paisagens lúgubres, abrindo áreas luminosas na densa escuridão.

"Os filhinhos que vos forem confiados, temporariamente, necessitarão do amparo emocional e espiritual indispensável ao desiderato, para o qual são encaminhados à Terra.

"Tende coragem, e enfrentai as circunstâncias, algumas aziagas, com entusiasmo no bem e na verdade, guardando-os das agressões iniciais do caminho, como o agricultor zeloso defende as suas plântulas das pragas destruidoras...

"Educai-os no culto dos deveres, da responsabilidade, do amor, do conhecimento, a fim de que disponham dos instrumentos próprios para os enfrentamentos até o momento da vitória.

"O Senhor, que vos convocou, vem cuidando de vós, porquanto, renascestes, nesta oportunidade, já selecionados para o cumprimento das venerandas profecias a respeito da era feliz da Humanidade do porvir.

"Preservai o comportamento equilibrado, o respeito entre os parceiros, de modo a poderdes oferecer os recursos genéticos próprios para a modelagem dos futuros corpos desses viandantes da luz...

"Não temais, em momento algum, amando, como semeadores que se encarregam do dever, sem pensar no resultado imediato do trabalho. Ao futuro caberá a colheita, a sega da produção próxima.

"Mantende Jesus na mente e no coração, preservando os sentimentos de honradez aprendidos em vossas escolas de fé religiosa, convictos, porém, da vossa imortalidade.

"Sereis apresentados àqueles que, em breve, estarão adormecidos em vossos braços, totalmente entregues aos vossos cuidados para o desempenho das tarefas que devem cumprir.

"Que o Senhor Jesus a todos nos abençoe!"

Imediatamente, vimos um grande painel, no qual estavam escritos os nomes dos casais, e, ao lado, uma espécie de foto virtual e o nome daquele que lhe seria o filho.

Automaticamente, um dos membros da nossa equipe começou a enunciar os respectivos nomes, convidando-os a que se acercassem da área ampla e vazia entre o público e o estrado em que estava a mesa diretora.

Ao ser enunciado o nome do casal e do Espírito, seu futuro descendente, o acompanhante que trouxera os encarnados avançava na direção da Entidade que saía do seu lugar, e encontravam-se, seguindo à grande área, onde se abraçavam e conversavam jovialmente.

Em ordem, sem qualquer tipo de tumulto, embora o número expressivo de membros, foram sendo convocados uns e outros, para, em tempo relativamente curto, encontrarem-se em convivência edificante.

Por um período de aproximadamente quinze minutos mantinham a familiaridade carinhosa, abraçando-se, e retornando aos seus lugares.

Os nossos visitantes de Alcíone haviam sido informados anteriormente do tempo necessário para o primeiro contato, mantendo o período estabelecido.

Retomando os seus lugares no auditório, renovados emocionalmente e jubilosos ante as expectativas desenhadas para o futuro, ouviu-se o trecho da notável obra de Franz Von Suppé, *Libera me,* na parte final do seu célebre *Requiem.*

Ato contínuo, o nobre mentor voltou à tribuna, e demonstrando na face a gravidade da tarefa de que se encontrava incumbido, aproveitando-se do alto clima de paz e de esperança, esclareceu:

– Irmãs e irmãos queridos:

"Investidos da nobre missão que desempenhareis na Terra, mantende, encarnados e desembaraçados do corpo físico, serenidade e confiança em Deus.

"Estais incumbidos de renovar o abençoado planeta terrestre, que sai da sombra para as divinas claridades.

"Vindes de uma estrela de terceira grandeza, onde as excelsas concessões do amor alcançam um patamar de ventura inigualável, e mergulhareis na névoa carnal, volvendo a experimentar as dificuldades inerentes à condição humana limitadora.

"Permanecereis encarcerados temporariamente no escafandro orgânico, que vos cerceará, por algum tempo, os formosos voos pelas paisagens sublimes a que estais acostumados...

"Provareis a saudade dos afetos queridos que ficaram aguardando o vosso roteiro de misericórdia, muitas vezes, em aparente solidão.

"Experimentareis incompreensões, repetimos, e sofrereis os espículos da inferioridade que predomina entre os viajantes da Terra, no seu momentâneo atraso moral.

"Vez que outra, em parcial desprendimento pelo sono, fruireis da convivência conosco, que estaremos ao vosso lado e vos conduziremos, rapidamente embora, aos santificados ninhos de onde procedeis, para renovardes as forças e encontrardes alegria para a continuação do ministério socorrista.

"Recordareis das sublimes lições que ouvistes no abençoado lar, aplicando os conhecimentos que possuís na construção do bem imperecível entre os vossos irmãos terrícolas...

"Asfixiados, em alguns períodos pelo bafio enfermiço da psicosfera do planeta em transição, aspirareis as vibrações celestes, que volvereis a fruir somente quando terminada a incomum tarefa de amor e de sacrifício.

"Sereis caracterizados no mundo pelas qualidades morais, pelos conteúdos psicológicos de paz e de reflexão, desde os primeiros dias da experiência nova.

"Missionários que vos precederam na viagem à Terra, estão ampliando os estudos em torno da psique e da emoção, a fim de vos oferecerem os recursos hábeis para a exteriorização do patrimônio de sabedoria de que estais investidos.

"Abrir-se-ão novas perspectivas para o vosso ministério nas dádivas do lar afetuoso e rico de ternura.

"Algumas vezes, intentarão crucificar-vos nas traves da perversidade, mas triunfareis por amor."

Havia lágrimas discretas que desciam da comporta dos olhos do eminente orientador.

Depois de breve pausa, prosseguiu:

– Vós outros, que ides receber os nossos visitantes como filhos, que vos credenciastes ao compromisso de crescer com eles na direção de Deus, preparai-vos.

"Sabeis que a reprodução humana está sob impositivos graves no que diz respeito à constituição orgânica, e que se desenham no DNA as necessidades evolutivas de cada ser, nada obstante, é sempre o Espírito quem seleciona o espermatozoide mais compatível com os seus propósitos evolutivos.

"Graças à vibração que emite, o Espírito seleciona-o da massa expressiva e dispara-o na direção do óvulo para o milagre da fecundação.

"A hereditariedade, de alguma forma, encontra-se adstrita à constituição física, em alguns caracteres morfológicos e biológicos, no entanto, os estratos morais são proporcionados pelo reencarnante…

"Mantende a afetividade e o respeito em vossos relacionamentos íntimos de modo a evitardes a intromissão das

Entidades vulgares e perniciosas, que tentarão hipnotizar-vos para a adoção dos vícios e das aberrações em voga no tálamo conjugal.

"Necessitamos da vossa contribuição saudável, a fim de lograrmos êxito nos empreendimentos desde os primeiros momentos...

"Antes de ser iniciado o processo de renascimento dos nossos convidados espirituais, mantereis contato psíquico com eles, de modo que se vos desenvolvam os sentimentos da afetividade.

"Mais amiúde, eles estarão visitando-vos, adaptando-se ao psiquismo planetário e às vossas emoções.

"Alegrai-vos, trabalhadores do novo mundo!

"Vivereis o grande crepúsculo da civilização atual que se vai, mas fruireis a beleza do amanhecer de uma nova era de paz e de bênçãos que está por acontecer.

"Cultivai os sentimentos nobres do dever, da harmonia e do bem, nos mais diversos segmentos da sociedade em que vos encontrais, e permiti-vos bafejar pelas aragens espirituais que soprarão afastando as torpes e pesadas vibrações do período de transição.

"Abençoados pela oportunidade, começai a planejar, pensai no amor..."

Fez um brevíssima pausa, e logo encerrou:

– Inúmeros, entre vós, anelais pela patermaternidade que ainda não alcançaram...

"Defluente de razões que vêm de prístinas épocas, não podereis conceber, mas providenciadas pelos mensageiros do Senhor, as valiosas conquistas através da engenharia genética, aplicadas em benefício da sociedade, ajudar-vos-ão a alcançar o sagrado desiderato.

"Rejubilai-vos, e retornai aos compromissos humanos aureolados de felicidade e de esperança.

"O Senhor seja convosco!"

Harmonias siderais pulsavam no auditório e em nossos sentimentos.

Logo depois, os condutores dos amigos reencarnados recambiaram-nos ao corpo, deixando nele as lembranças possíveis do acontecimento incomum.

16

PROGRAMAÇÕES REENCARNACIONISTAS

O início da Era Nova programada por Jesus para o planeta amado, previa também o retorno de filósofos e sábios do passado, de alguns dos profetas antigos, de diversos criadores de religiões, dos pré-socráticos, dos nobres Espíritos do século IV a.C, como aqueles que antecederam ao nascimento do Messias e renasceram em Roma, preparando-Lhe o advento... De igual maneira, os iluminados pensadores da Escola neoplatônica de Alexandria, culminando, nos séculos III e IV, com os mártires, com os abnegados e os santos medievais, com os gloriosos lutadores da Renascença, da Reforma, da Contrarreforma, com os audaciosos construtores dos séculos XVII, XVIII e XIX...

Entre eles, os grandes missionários da Ciência e da Tecnologia, tornando o século atual um verdadeiro santuário de amor, de beleza, de caridade, de iluminação espiritual...

Certamente que, em períodos diferentes, missionários do Bem e da Verdade estiveram na Terra, a fim de que nunca faltassem os ensinamentos superiores que facultam a libertação das amarras nas tendências perturbadoras das *más inclinações*. Na atualidade, porém, ocorreria algo especial em relação aos insensatos e perversos, aqueles que ainda se comprazem no mal, que, desfrutando da feliz oportunidade de autorredenção, e não a aproveitando, em razão da sua sintonia com o primarismo, serão recambiados para mundos inferiores a eles equivalentes.

Nesses novos campos de luta, oferecerão os conhecimentos que amealharam na Terra, experimentarão as consequências da teimosa persistência no crime e na hediondez, até que se integrem nos compromissos edificantes e possam voltar à mãe-Terra, integrando-se-lhe no programa de sublimação.

Verdadeira revolução espiritual estava sendo travada no mundo das causas, a fim de que o advento do amor e da caridade, do bem e da misericórdia possa dar-se sem precipitação, dentro de uma programação muito bem elaborada, que não mais pode ser postergada.

Em realidade, nunca deixaram de, periodicamente, esses luminares da inteligência e do amor, renascer no mundo terrestre dando continuidade aos seus labores, às suas especialidades cada vez mais aprimoradas, facultando o progresso e a felicidade dos seres humanos em processo de crescimento para Deus.

Vinculados pelo amor ao serviço do desenvolvimento intelecto-moral do planeta, têm sido estrelas fulgurantes em noites escuras, diminuindo a treva e pondo claridade no zimbório celeste, por enquanto em sombras...

São eles que nos não deixam olvidar os compromissos com a verdade, exemplos de abnegação e devotamento que nos enriquecem de conhecimentos e de vibrações amorosas, a fim de que não desfaleçamos nas lutas pessoais... Anônimos uns, conhecidos outros, caracterizam-se pela conduta moral e espiritual que os torna superiores às épocas em que viveram, desenhando o futuro com os seus exemplos de sacrifício.

Reflexionando em torno dos dias do futuro, não pude furtar-me ao desejo de contribuir de alguma forma com esses missionários do Bem, prometendo-me intensificar os esforços para melhor servir, pelo menos, no período de preparação para os seus renascimentos no corpo físico.

Dialogando com o querido amigo Ivon, exteriorizamos os sentimentos que vigiam em nós, pensando nas grandes e desconhecidas batalhas que seriam travadas, como, aliás, vem acontecendo no dia-a-dia de todas as existências nobres, afeiçoadas ao dever e à verdade.

Desse modo, fomos convocados por Dr. Sílvio para visitar alguns casais que se haviam comprometido em receber os irmãos de Alcíone.

Nossa primeira visita, na cidade de Belo Horizonte, levou-nos a uma residência confortável, num dos seus bairros elegantes, onde tudo era silêncio. O casal, adormecido na alcova, encontrava-se em parcial desdobramento pelo sono fisiológico e dialogava com aquele que lhe seria o primogênito.

Os nubentes haviam lutado para conseguir a progenitura sem o êxito desejado.

Vários especialistas haviam sido consultados oportunamente e a resposta era sempre desanimadora, explicando aos parceiros que não haviam detectado qualquer impedimento fisiológico em nenhum dos dois, no entanto, a possibilidade permanecia nula.

Após receberem sugestão para uma fecundação *in vitro,* haviam concordado, e preparavam-se para o cometimento através de cuidadoso tratamento especializado.

No dia seguinte, seria feita a primeira tentativa, para posterior utilização dos espermatozoides do esposo ansioso pela paternidade.

Considerando-se o mérito de ambos os cônjuges, foram destacados dois Espíritos da equipe da Era Nova, para que renascessem através desse processo especial.

Conversavam, desse modo, com aqueles que lhes renasceriam através das conjunturas genéticas e revelavam incontida ansiedade.

Dr. Sílvio, solícito, conhecendo o programa que seria executado, propôs que déssemos início à terapia auxiliar preparatória, convidando-nos à oração de súplica ao Senhor da Vida em favor dos futuros genitores.

Após comovedora prece proferida por ele mesmo, foram aplicados recursos bioenergéticos nos corpos adormecidos de ambos os parceiros, de modo a facilitar-lhes a produção de espermatozoides saudáveis, assim como de óvulos que permitissem a fecundação exitosa.

Embora os cuidados de que se revestia o momento, notamos a presença de alguns Espíritos em aflição, que haviam acorrido à residência, ao saberem dos planos para o renascimento dos visitantes, e que, de alguma forma, tinham vinculação emocional com os cônjuges. Aliás, fora um aborto no passado que criara a dificuldade atual, embora recuperados do delito, ficaram as sequelas no perispírito da senhora, que lhe dificultavam a concepção... Um daqueles candidatos frustrados havia sido um filho não aceito, e apesar de já não existir ressentimento de sua parte, no momento sem possibilidade de tornar-se factível o seu retorno, em razão do programa ora elaborado.

Com muita ternura e bondade o nosso mentor explicou-lhe a ocorrência, tranquilizando-o em relação ao próprio futuro, quando também mergulharia no corpo somático, fruindo de melhores recursos para o progresso pessoal.

Terminada a nossa tarefa junto ao matrimônio, quando nos dirigíamos a um outro lar, num dos bairros periféricos da mesma cidade, interroguei o nobre médico a respeito da chamada fertilização *in vitro,* muitas vezes denominada *Bebê de Proveta.*

Pacientemente, ele explicou-nos, a mim e aos demais amigos, que a Divindade, sempre misericordiosa, incessantemente envia à Terra os Seus embaixadores, a fim de que os mesmos facilitem o progresso científico-tecnológico, de modo a proporcionar aos seres humanos os recursos hábeis capazes de auxiliá-los a diminuir as aflições a que fazem jus.

"A cada momento – informou-nos com gentileza – a Ciência e a Tecnologia dão-se as mãos, contribuindo em favor da sociedade feliz, assim como enviando os missionários do amor para que os sentimentos de bondade, de misericórdia e de fraternidade vicejem onde antes os combates de extermínio tinham lugar. Naturalmente, é mais fácil a conquista horizontal, a dos valores culturais e técnicos do que a grande vertical do amor em direção a Deus, razão pela qual ainda permanecem as lutas hediondas de toda espécie entre os seres humanos.

"Foi, a partir de 1978, graças ao nascimento de Louise Brown, que se logrou o êxito na grandiosa experiência da fecundação fora do organismo humano. Concluiu-se uma etapa de alta significação para as pessoas impossibilitadas de lograr a fertilização convencional, dando lugar à transferência dos embriões para as mulheres que sofriam de infertilidade tubária, ou que tinham as trompas obstruídas. Com o tempo e o aprimoramento das técnicas foi possível atender a outros problemas que dificultavam a conquista gloriosa da maternidade.

"A fecundação *in vitro* exige cuidados muito especiais, iniciando-se os procedimentos terapêuticos, através do processo que faculta a indução da ovulação, de modo que possam amadurecer vários óvulos, que irão permitir o crescimento folicular. Em casos especiais, usam-se drogas específicas para esse mister, o que não ocorreu no caso que estudamos.

"Após esse meticuloso processo, realiza-se a coleta dos óvulos, assim como do sêmen, quase simultaneamente, mais ou menos no mesmo período, e, depois da análise e seleção dos primeiros, procede-se à inseminação com o esperma elegido.

"Atenções especiais são mantidas durante um período de três dias depois desse procedimento, para a transferência de alguns deles para o claustro uterino.

"Todo esse processo requer perfeita identificação da maturidade dos óvulos, o que se consegue mediante o estudo do líquido folicular, que é extraído para essa finalidade. Constatando-se a existência de óvulos maduros, em cultura especializada, promove-se a inseminação de cada um deles com aproximadamente cem mil espermatozoides em atividade à sua volta.

"Aproximadamente entre quinze a dezenove horas depois do procedimento cuidadoso, observam-se ao microscópio as evidências da fecundação, que podem ser sintetizadas na presença dos denominados pró-núcleos masculinos e femininos. Mais tarde, transcorridas vinte e quatro horas, já se pode perceber a presença de *pré-embriões*, graças à divisão em duas células. Somente após quarenta e oito horas até setenta e duas horas, quando os mesmos apresentam quatro, oito ou mais células, é que se procede à transferência para o útero materno.

"Em nosso caso, esperamos que se tornem exitosos dois dos diversos *pré-embriões* transferidos, nos quais teremos acoplados os perispíritos dos reencarnantes, que elegeram por vibração especial os espermatozoides que poderão oferecer-lhes alguns dos fatores necessários com as características próprias para as tarefas que lhes estão destinadas na existência corporal.

"Aqueles que não tiverem ligação de futuros reencarnantes, perderão a finalidade e serão automaticamente eliminados."

O nobre geneticista espiritual fez uma pausa para reflexão, logo dando prosseguimento às explicações que nos deslumbravam:

– Quando os estudiosos das várias doutrinas científicas buscarem a identificação com as revelações espirituais, permitindo-se entender os mecanismos que constroem a vida física e a mantêm, muito mais fácil lhes será a execução dos compromissos que abraçam, na condição de missionários do bem em favor da Humanidade.

"Ao lado da fertilização *in vitro,* a admirável contribuição de mulheres enobrecidas pelo amor, que emprestam seus ventres para o desenvolvimento dos embriões e surgimento dos fetos até o momento do parto, desde há algum tempo, algumas denominadas como *barrigas de aluguel,* por cobrarem importâncias monetárias para o mister, é de um valor incontestável.

"Auxiliar alguém a lograr a realização da maternidade, ensejando, por outro lado, o renascimento dos Espíritos, quando larga faixa da sociedade opta pelo aborto delituoso e perverso, ou se utiliza da denominada *pílula do dia seguinte,* interrompendo o processo e o desenvolvimento da fecundação, essas abnegadas mães por empréstimo desempenham um papel de alto significado na construção do mundo novo e melhor de amanhã.

"Embora a conquista da ciência haja logrado esse feito com fins nobres, sempre aparecem as pessoas utilitaristas e aproveitadoras para candidatar-se aos benefícios financeiros, que justificam elucidando que têm a finalidade de diminuir-lhes as dificuldades econômicas que vivenciam. Apesar de não concordarmos com tal conduta, também não nos opomos às mesmas que, em alguns casos compreensíveis, são benfeitoras da Humanidade.

"O mais curioso ocorre, não raras vezes, quando, em convivência com o Espírito reencarnante, desenvolvem-se os adormecidos sentimentos da maternidade, e, após o parto, tocadas pela presença do já querido ser, negam-se a devolvê-lo àqueles que as contrataram... Observamos que, em alguns desses casos, o Espírito reencarnante está mais vinculado à doadora do *ventre de aluguel* do que aos reais genitores...

"Sucede que ninguém pode burlar os mecanismos sublimes das Leis cósmicas que regem o universo e as criaturas humanas. Normalmente, os caminhos transversais a que muitos indivíduos recorrem para fugir da responsabilidade, conduzem-nos exatamente ao destino que lhes diz respeito e não aos sítios onde gostariam de desfrutar da inutilidade...

"A nossa participação, assim como a dos devotados trabalhadores que se encontram vinculados ao mister que abraçamos, não será permanente, sendo realizada apenas em alguns casos especiais, porquanto, desde há alguns anos do século passado, os nossos irmãos de Alcíone estão reencarnando-se na Terra, sem alarde, tornando-se expoentes de sabedoria e portadores de grande contribuição cultural e espiritual. À medida que os anos se passaram desde as primeiras ocorrências, estamos agora vivenciando o período para os renascimentos em massa, enquanto tem lugar, a princípio, lentamente, o expurgo dos irmãos infelizes vinculados à revolta e à truculência de que se utilizam em tentativa inútil para impedir a felicidade dos seres humanos. De maneira equivalente, à medida que os anos se sucederem, número bem expressivo de desatinados será encaminhado ao exílio temporário, de forma que irão contribuir para o desenvolvimento dos seres que encontrarão em os novos ninhos domésticos, para volverem em triunfo, quando se depurarem das graves imperfeições que lhes dificultam a marcha do progresso.

"Tem sido assim, desde os primórdios do estabelecimento das raças humanas na Terra, quando missionários do amor e do conhecimento oriundos de outras *moradas da Casa do Pai*, mergulharam nas sombras do planeta para oferecer a contribuição valiosa dos seus conhecimentos.

"*...É assim que tudo serve, que tudo se encadeia na Natureza, desde o átomo primitivo até o arcanjo, que também começou por ser átomo. Admirável lei de harmonia, que o vosso acanhado espírito ainda não pode apreender em seu conjunto!*" – Assim responderam os Espíritos nobres responsáveis pela Codificação do Espiritismo a Allan Kardec, conforme a questão de número 540, ínsita em *O Livro dos Espíritos.* Esse encadeamento já houvera sido percebido por Antoine Lavoisier, na sua célebre citação em torno do estudo da massa: *Na natureza nada se cria, nada se perde, tudo se transforma.* Nada obstante, na atualidade constatou-se que há sempre uma perda de massa, na reação de uma substância libertando energia... o que, de certo modo, não altera o conteúdo do nosso pensamento em torno da harmonia universal, assim como das Leis que a mantêm."

Houve um silêncio natural, convidando-nos a reflexões profundas em torno dos *divinos desígnios.*

Na programação em torno do renascimento dos Espíritos procedentes de Alcíone, considerando-se que os mesmos não têm compromisso negativo no planeta terrestre, destacou-se a desnecessidade de estabelecimento de metas proporcionadoras do ressarcimento de débitos morais em relação às existências anteriores, como sempre ocorria nos casos convencionais a que estávamos acostumados.

No *Departamento de Reencarnações*, os mapas, adrede estabelecidos, apresentavam organismos saudáveis, sujeitos, entretanto, aos fenômenos normais de desgaste da energia, assim como às ocorrências de enfermidades menos graves, de forma que todo o tempo de que dispunham os Espíritos fosse dedicado ao labor edificante da fraternidade, dos estudos e aplicações das propostas sobre o próprio progresso moral e espiritual, assim como do planeta.

Trazendo da dimensão de onde se originavam os tesouros logrados no processo da evolução, não eram exilados em mecanismos de reabilitação, mas voluntários do amor contribuindo em favor da felicidade das vidas humanas em cujo seio renasceriam.

Os cuidados, portanto, no que dizia respeito aos renascimentos, cingiam-se, na grande maioria, às contribuições genéticas dos futuros genitores, de maneira que os perispíritos dos candidatos pudessem modelar as suas necessidades intelectuais e morais, experimentando as conjunturas ambientais, mas também desenvolvendo os compromissos a que se vinculavam, sem maiores impedimentos resultantes da maquinaria orgânica.

Desse modo, os preparativos para a inseminação artificial, no caso referido, prosseguiram amparados por Dr. Sílvio e nossa equipe, transformando-se em realidade, dias depois, quando foi possível fazer a transferência dos embriões, com os respectivos Espíritos vinculados, facultando, posteriormente, a constatação do fenômeno da gestação.

A alegria que tomou conta do casal, quando lhe foi apresentado o diagnóstico de êxito em torno do empreendimento, converteu-se numa celebração de amor e de gratidão a Deus através da oração, de que participamos, à noite, quando se encontravam em parcial desdobramento pelo sono.

Tanto os futuros genitores como os irmãos gêmeos, que se reencarnariam, exultavam, dialogando com emotividade e confiança em torno dos planos de construção do bem, mediante o estudo, a dedicação ao trabalho e à entrega irrestrita à Divina Misericórdia que tudo provê com equilíbrio e sabedoria.

Instrumentalizados com essa e outras experiências realizadas com famílias de diferentes classes socioeconômicas, ouvimos o benfeitor declarar que agora era factível pensar-se nos programas de reencarnações em massa, obedecendo-se, todavia, às determinações do Senhor da Vida...

Enquanto operávamos no mister, tomávamos conhecimeno das desencarnações coletivas mais dolorosas, em decorrência das convulsões do planeta em adaptação geológica, a maioria das quais referente a Entidades que já não deveriam renascer no orbe terrestre, transferidas compulsoriamente pela Lei do progresso para um mundo compatível com o seu nível de elevação.

Era-nos motivo de imenso jubilo podermos acompanhar os procedimentos em torno da grande transição que lentamente se instalava na abençoada Casa terrestre, ensejando a renovação de milhões de Espíritos que ainda se encontravam sujeitos à ignorância das Leis da Vida, assim como outros que permaneciam enrodilhados em compromissos infelizes, de que tinham dificuldade de libertar-se.

Podíamos perceber os numerosos grupos de trabalhadores de nossa esfera e de outras sob o comando superior de Jesus desdobrando-se para criar no planeta a psicosfera compatível com as exigências das transformações que se operavam mediante o sofrimento, assim como através do despertamento das consciências pela iluminação do conhecimento e as bênçãos da caridade.

Os Grupos Espíritas afeiçoados à verdade e os trabalhadores responsáveis pela realização do bem geral passavam a receber informações especializadas a respeito da conduta dos seus membros, como aliás sempre ocorreu, de forma que pudessem criar o clima mental e emocional para enfrentar os cataclismos que, por outro lado, aconteciam mais frequentemente, acelerando o processo de crescimento das vidas em amor e paz.

Simultaneamente, reconhecendo as operações transformadoras que ora se realizavam, Entidades perversas, vinculadas ao desvairo ou dele vítimas, movimentavam-se com sofreguidão, desenvolvendo mecanismos de agressividade contra todos aqueles que se encontravam comprometidos com a responsabilidade das mudanças em andamento.

Ciladas habilmente organizadas, estereótipos do prazer e estímulos vulgares às sensações passaram a ser inspirados aos multiplicadores de opinião dos grandes veículos da mídia, de modo a perturbar a marcha do progresso, ampliando a área dos desmandos de toda ordem, especialmente a que diz respeito aos gozos servis e de fácil acesso.

Conclaves insidiosos organizados pelos inimigos do Bem, nas furnas em que se homiziavam, estabeleceram metas de vingança, utilizando-se da política sórdida a que se entregam muitos dos seus membros, ora reencarnados nessa área, como nas religiões, nas artes e noutros setores sociais, a fim de que chafurdem no lodaçal do caos moral, em estímulo negativo aos comportamentos saudáveis, fazendo campear o descrédito, o desrespeito às leis e aos deveres, na volúpia de acumular recursos que não são transferidos com a desencarnação, mas entorpecem os significados elevados da existência espiritual.

Fomentadores de guerras de extermínio, de terrorismo insano, de perseguições às minorias, de deboche e de preconceito, misturaram-se às multidões, inspirando governos e cidadãos às atitudes calamitosas, de modo que a esperança seja deixada à margem sem consideração, e os exemplos nobres se transformem em mensagens de aproveitadores e oportunistas desvairados...

Subitamente pôde-se observar o aumento surpreendente das aberrações, dos crimes hediondos, da violência inclemente e da falta de autoridade para impedi-los ou administrá-los, tornando-os banais e quase desconsiderados.

O vale-tudo que começou a ser estabelecido tem o objetivo de criar o clima de desinteresse pela honorabilidade, pelos valores éticos, pelo respeito à criatura e à sociedade, demonstrando que todos esses significados haviam sido perdidos e uma nova e descontrolada ética passava a ser assinalada como regra de comportamento próprio para estes desditosos dias...

Por efeito, volumosa onda de pessimismo tornou-se dominadora no oceano das existências, e os jovens, principalmente, sem lideranças dignas nem diretrizes de equilíbrio, passaram a ser as vítimas selecionadas pela sua representação de herdeiros do futuro.

As festanças licenciosas, os programas televisivos chulos e vulgares, agressivos e mentirosos, ao lado do cinema e do teatro em lavagem cerebral de que somente o prazer a qualquer preço é que vale a pena, começaram a tornar o proscênio terrestre local de hediondez, de selvageria e de permissividade, que levam à degradação, à exaustão...

Repentinamente, os pais e educadores passaram a ser assaltados pelas dúvidas em torno do significado da formação moral dos filhos e aprendizes, verificando os salários altíssimos com que são remunerados os comportamentos doentios e chocantes em detrimento das profissões dignas e desgastantes daqueles que se exaurem no exercício do dever.

Os dois mundos de vibrações – físico e espiritual – aumentaram o intercâmbio com maior facilidade e o connúbio espiritual inferior começou a fazer-se tão simples que qualquer comportamento mental logo encontra resposta em equivalente sintonia com os Espíritos que se movimentam nessa faixa vibratória. É claro que aquela que diz respeito aos sentidos mais agressivos e sensuais, predomina na conduta generalizada.

Conversando com o amigo Ivon, logo pensamos nas grandes lutas do *Armagedom,* conforme as velhas anotações bíblicas, que seriam sintomáticas do fim dos velhos tempos, para dar acesso aos novos e ditosos, transferidas do vale das guerras do passado de Israel para todo o planeta atual...

As ameaças de fim do mundo, criando pavores nas mentes e nos comportamentos emocionais mais frágeis, começaram a ser motivo de medo, de ansiedade e de desespero, assim como as propostas em favor do aproveitamento de todas as sensações, como forma de esquecer a vida e suas mazelas, assumiram papel de destaque nos vários grupos sociais...

Médiuns que haviam aceitado compromissos de alta responsabilidade para exercer a faculdade com Jesus, nestes difíceis dias, sem dar-se conta, estão abandonando a vigilância recomendada pelo Mestre e por Allan Kardec, para engalfinhar-se em lutas de competição doentia, buscando lograr posições de relevo, enquanto se fazem instrumentos de Espíritos levianos, que se comprazem em profetismo de terror e revelações confusas, mediante as quais tentam introduzir no movimento espírita as informações inautênticas de que se fazem portadores, gerando incompreensão e desordem.

Agredindo-se, reciprocamente, a troco da vaidade que desborda em direção do orgulho e da soberba, esquecem-se de servir à Causa espírita, a fim de servir-se dela, nos seus propósitos conflitivos, que escamoteiam a benefício da exaltação do ego atormentado e insatisfeito.

Campeões da insensatez invadem os grupos sociais e adquirem prestígio mediante a astúcia bem elaborada e a falta de escrúpulos, movimentando-se livremente e empurrando os líderes insanos que avançam no rumo do abismo...

Tudo diz respeito à resposta das Trevas organizadas contra a programação do dúlcido Cordeiro, pacífico e pacificador, que não revida ao mal, prosseguindo com os métodos do amor, no afã de promover o progresso da Humanidade e do seu berço terrícola.

Em nossas reflexões, nas noites seguintes, podíamos ver, sem qualquer dúvida, as caravanas de luminares descendo na direção da Terra, com a missão sublime de facilitar a reencarnação dos novos condutores do futuro ao lado dos imigrados de Alcíone em verdadeira sinfonia de bênçãos.

Foi numa dessas oportunidades, quando, em grande silêncio, nosso grupo, encontrando-se ao ar livre, contemplava o zimbório de estrelas lucilantes e de prateado luar, que o nosso mentor nos convidou à oração, propondo-nos a entrega total ao Celeste Amigo que viera, há dois mil anos, clarear a grande noite com a luminescência do Seu inefável amor.

Agora enviava, conforme o prometera, neste momento de tantas aflições, o *Consolador,* que já se encontrava no mundo terrestre há mais de um século, como uma constelação de seres elevados, para que as sombras fossem definitivamente diluídas ante as divinas claridades siderais.

Não havia como resistir às lágrimas ou permanecermos indiferentes aos sublimes apelos do amor.

17

AMPLIANDO O CAMPO DE TRABALHO

Logo após a oração proferida com profundo sentimento por Dr. Sílvio, suaves melodias transcendentais perpassavam pelo ar balsâmico da Natureza, penetrando-nos profundamente e levando-nos às lágrimas.

A noite tornara-se um cenário de incomum beleza, e o parque, arborizado e florido, no qual nos encontrávamos no planeta querido, recebera peregrina luz que descia sobre nós, envolvendo-nos e criando um clima psíquico dos mais saudáveis.

Nessa psicosfera abençoada, o benfeitor amigo, de pé, como se encontrava, utilizou-se das dúlcidas vibrações e, enriquecido pelas emoções vigentes, começou a esclarecer:

– Queridos irmãos.

"Jesus permanece o sublime Amigo e Mentor, nosso *Guia e Modelo* desde os primórdios, conduzindo-nos pelo rumo da felicidade e edificando o *Reino de Deus* no âmago dos nossos corações. Nada obstante, a cada um de nós cabe a definição dos roteiros a seguir. Há aqueles que preferem as estradas floridas pela magia da ilusão, que logo fenecem ao toque da realidade, demonstrando a sua fragilidade; muitos outros optam pelo desencanto em razão de alguns naturais insucessos e descem ao fosso do desânimo, entregando-se à inutilidade e às queixas com que envilecem a existência; outros mais, entusiasmam-se no início das experiências para logo abandoná-las, assim que defrontam os desafios e as dificuldades; por fim, alguns permanecem devotados, trabalhando o leito por onde seguem, retirando os calhaus, melhorando o curso, de modo a torná-lo mais fácil de vencido por aqueles que seguem na retaguarda.

"A inevitável lei da evolução manifesta-se inexorável, utilizando-se, no entanto, dos recursos de cada viandante, que elege o que lhe parece melhor na convicção ou não dos resultados que alcançará. Assumida a responsabilidade, passa a viver dentro da normativa escolhida, submetendo-se às ocorrências defluentes da decisão tomada. À semelhança de uma flecha disparada que não pode retroceder, seguindo na direção apontada, também assim prossegue esse intimorato viajante. Apesar disso, de acordo com o alvo que busca, poderá renovar os futuros disparos alterando a rota, em razão da descoberta de algum engano ocorrido no primeiro tentame. A existência terrena, portanto, é multimilionária em oportunidades que sempre favorecem os seus membros, tendo em vista as suas opções. Todos têm o direito de errar, de forma a poder corrigir e alcançar posteriormente o desejado. Deter-se em situações equivocadas é lamentável perda de tempo que poderia resgatar o engano, enquanto aumenta a carga das aflições, ao utilizar-se da revolta e das reclamações, permitindo-se um comportamento infantil que não resolve o problema, antes, pelo contrário, complicando-o pela insensatez dos atos irresponsáveis.

"Ninguém pode deter a marcha do progresso, que objetiva a fatalidade da plenitude a todos reservada pelo amor de Deus.

"O envolvimento carnal, entretanto, na condição de uma nuvem que empana o brilho do Sol, produz alguns olvidos sobre as responsabilidades assumidas pelo Espírito antes do mergulho no corpo somático, produzindo conflitos e incertezas sobre a sua realidade, como consequência dos comportamentos mal orientados, provenientes do pretérito.

"Por essa e outras razões, alguns Espíritos fragilizados pela falta de valor moral para os enfrentamentos, deixam-se arrastar aos despenhadeiros da sombra, vencidos pelo ódio das ocorrências infelizes em que se complicam, e tentam lutar contra os impositivos da evolução, como se lhes fosse possível detê-la, impedir que outros a vivenciem, criando-lhes embaraços..."

Havia um suave encantamento na palavra do benfeitor espiritual repassada de expressiva ternura. Seu rosto resplandecia tocado por desconhecida luminosidade, enquanto as harmonias ambientais transformavam-se em uma moldura nas paisagens verbais que compunha.

Profundamente concentrados nos seus conceitos, acompanhávamos o seu raciocínio com especial interesse.

Após pequena pausa deu prosseguimento à exposição:

"Quantas vezes, em nosso historial evolutivo, assumimos compromissos com a verdade, dominados por peculiar entusiasmo, para logo abandoná-los, atraídos pelos risonhos mitos do prazer?! Acreditando em nossa permanência indefinida no corpo físico, sem nos darmos conta, conscientemente, da presença das enfermidades, da desencarnação, usamo-lo para o desgaste através das sensações, intoxicando-o, mediante as emoções desordenadas e a chuva ácida dos conflitos de consciência, acoimados pela culpa e pelo remorso, que procurávamos dissimular, complicando a oportunidade, infelicitando-nos. Renascemos, muitas vezes, com novos sentimentos de renovação, abraçando ideais de recuperação, e logo tropeçamos nos mesmos obstáculos que, por inércia e imprevidência, não nos atrevemos a afastar do caminho, tombando nas mesmas ciladas promovidas pela alucinação do gozo. Ante a inevitabilidade de novos insucessos, volvemos, por fim, encarcerados em expiações abençoadas que nos foram impostas pelo Excelso Amor, a fim de valorizarmos o tempo e a oportunidade, diluindo as fortes amarras com a animalidade primitiva a que nos afeiçoávamos.

"Em muitas dessas ocasiões encontramos Jesus e nos fascinamos com a Sua proposta libertadora, com as Suas incomparáveis lições de misericórdia e bondade centradas no amor, entregando-nos, fascinados, mas não resistindo aos impulsos da inferioridade moral a que nos atávamos, lentamente adaptando Seus ensinamentos aos nossos interesses espúrios.

"Em nome do Seu amor, vinculamo-nos ao poder imperial, deixamos de ser perseguidos para nos tornarmos perseguidores, abandonamos a humildade, sob os mantos do orgulho e da soberba... Encontramos meios de afastar os inimigos aos quais deveríamos amar, os antipatizantes que pensávamos conquistar, os equivocados que nos cabia esclarecer, e demos início às aventuras da loucura, criando as Cruzadas, os Tribunais do Santo Ofício, as perseguições inclementes aos mouros e judeus, a todos aqueles que não compartilhavam das nossas ideias, afundando-nos no abismo das aberrações mais desastrosas. Culminamos essas arbitrariedades em nome do Mártir da Cruz com a venda das indulgências, liberando todos os criminosos dos seus hediondos comportamentos através do vil metal que deveria ser enviado a Roma para a construção da

Basílica de S. Pedro e para os tesouros vaticanos exauridos com as guerras promovidas anteriormente pelo papa Júlio II, que viveu mais sentado na sela do cavalo, do que no trono falsamente denominado de S. Pedro...

"As *Indulgências* eram uma prática antiga, permitindo ao papa atenuar ou anular os pecados dos fiéis arrependidos, ou que se propunham a realizar penitências purificadoras em razão dos atos infelizes praticados. Nada obstante, o papa Leão X as tornou oficiais através de documentos que liberavam quaisquer pecadores dos seus mais hediondos crimes, mediante o pagamento do valor adrede estabelecido para esse fim. Chegava-se, por exemplo, a afirmar: – *Assim que uma moeda tilinta no cofre, uma alma sai do purgatório,* em terrível e ambicioso desrespeito aos códigos da dignidade cristã preconizada e vivida por Jesus.

"Tentamos impedir, nessas experiências malogradas, o avanço da Ciência, malsinando aqueles que abriam os horizontes do pensamento à verdade, ao conhecimento, à liberdade, como se pudéssemos ficar para sempre vigiando-os, obstaculizando-lhes os passos, sem nos darmos conta de que eles estavam sendo fiéis àqueles compromissos que relegáramos... Era um mecanismo psicológico de transferência das nossas frustrações em posições de iracunda ferocidade por eles conseguirem o que não tivemos coragem de realizar..."

... E martirizamos milhares de trabalhadores de Jesus nos mais diversos setores do pensamento e dos ideais, somente porque não se submetiam ao talante das nossas equivocadas determinações.

"Na Península Ibérica, por exemplo, seguindo os exemplos terríveis de outros países, em nome da hegemonia católica e da fidelidade ao papa, utilizamo-nos de recursos ignóbeis para permanecermos em domínio político, religioso e cultural da sociedade, expulsando das formosas terras aqueles que chamávamos de hereges, somente porque não aceitavam o nosso Jesus... Naturalmente não O aceitavam em razão dos nossos exemplos de anticristianismo, de perversidade e de presunção com que nos vestimos para representá-lO, quando Ele se deixou dominar pelo amor, pela compaixão, pela misericórdia, pelo perdão...

"Longe vão, na escala do tempo, essas loucuras, cujos efeitos ainda permanecem em nossa memória e em nossos atos. Ressumam com frequência aquelas manifestações de ferocidade, quando contrariados, de repúdio, quando não aceitos, de ressentimento, por falta da sua afeição... E acreditamos ainda, infelizmente, ser esse o melhor comportamento.

"A vida, porém, escreve nas consciências, em representação da Consciência Cósmica, a verdade inapelável das Divinas Leis, e ninguém existe que se possa evadir da sua interna presença. Eis por que estamos colhendo a semeadura conforme a realizamos.

"Neste grave momento das transformações planetárias e humanas, observamos a grande luta entre as forças do Bem e aquelas que se autodenominam do Mal, cada qual utilizando os recursos que lhe caracterizam as definições. Enquanto o amor utiliza da paciência que educa, da instrução que esclarece, do trabalho que dignifica, da renúncia às paixões venenosas que envilecem, o ódio, filho do despeito e da amargura, semeia a cólera, estimula a devassidão, amplia a área da violência, em vãs tentativas de receber respostas agressivas... Os desafiadores da iniquidade investem sem relutância contra todos quantos se afeiçoam ao dever e à edificação do progresso, procurando vencê-los sem qualquer sentimento de respeito pelo direito de viverem as suas opções elegidas.

"Não nos fazem recordar os comportamentos cavilosos a que nos entregamos no passado? É compreensível, portanto, que sejamos alvos que desejam atingir, em razão do mal que lhes fizemos, quando tivemos ensejo de ajudá-los a sair das deploráveis situações em que se demoravam. Os seus sentimentos inamistosos defluem dos ressentimentos que mantêm desde aqueles já recuados tempos, embora ainda vivos nas *carnes das suas almas*, que anelam por desforço e paz, que não têm ideia sequer, pensando que ela virá após atenderem a sede de vingança a que se entregam."

Novamente fez um silêncio rápido e oportuno, dando-nos ensejo de acompanhar os seus raciocínios ricos de informações, dando curso à tese que nos fascinava:

– Recordamo-nos das informações históricas, asseverando que Cristóvão Colombo conseguiu o auxílio da corte espanhola, quando os reis católicos Dona Isabel I de Castela e Dom Fernando II de Aragão, se encontravam felizes por haverem expulsado da Espanha os mouros que lhes tomaram parte do país no passado. Desde o século VII que se ensaiava o que ficou denominado como a *Reconquista*, graças à qual cristãos e muçulmanos se entregavam a guerras perversas e contínuas. No fim do século XV, porém, em 1492, as lutas sangrentas travadas especialmente em Córdoba e Granada, últimos bastiões dos invasores, raiaram pela crueldade dos vencedores. Lares e vidas foram destroçados, santuários de fé e educandários religiosos foram praticamente destruídos e a fúria da malta ensandecida, após incendiar as cidades e perseguir os sobreviventes, hasteou a bandeira da vitória onde antes tremulava a muçulmana...

"Expulsos também os judeus, as suas sinagogas, seus lares foram destruídos, suas vidas tornadas banais e vendidas a peso de ouro, a fim de poderem permanecer depois da apostasia das doutrinas a que se vinculavam anteriormente, mudando os antigos nomes para aqueles que seriam denominados como cristãos, firmamos convênios com Portugal para a transferência de muitos deles para as terras lusas, onde foram aprisionados e, na grande maioria, assassinados pelas forças dominantes. Nesse letal período, instalou-se a Inquisição espanhola, e a noite medieval, que se supunha haver desaparecido, prolongou as suas trevas pelos séculos seguintes em aberrações inimagináveis.

"A fim de arrancar-se a confissão do infiel, eram usados todos os meios bárbaros concebíveis, incluindo-se o empalamento, a roda, *a tortura da polé,* e tudo quanto de hediondo a mente humana pode conceber quando enlouquecida. As mulheres eram violadas, as crianças assassinadas ou vendidas como escravas, separadas para sempre dos seus pais, os homens válidos eram igualmente vendidos, os idosos e doentes vilmente mortos após suplícios extenuantes... E dizíamos que assim nos comportávamos em nome de Jesus e de Sua doutrina..."

Subitamente, num pequeno intervalo entre uma e outra frase, vimos lágrimas nos olhos do mentor, e percebemos-lhe a voz embargada pela emoção, o que ampliou a nossa sensibilidade.

As onomatopeias da Natureza estavam saturadas de fluidos felizes que nos revigoravam e que banhavam a região renovando as energias dos habitantes, àquela hora adormecidos, na sua grande maioria, na intimidade doméstica.

Ao longe, Selene esparzia o seu véu de prata e as folhas das árvores fremiam ante a brisa delicada.

Continuando, o nobre orientador esclareceu:

– É perfeitamente compreensível que os Espíritos que padeceram em nossas mãos e em nossa administração o campeonato da perversidade, ainda guardem da nossa conduta essa lembrança inditosa, em razão de se haverem atirado aos despenhadeiros profundos do mundo espiritual inferior, onde passaram a homiziar-se, a edificar os seus redutos, hoje transformados em regiões quase infernais, embora a sua transitoriedade, onde urdem planos de destruição do pensamento cristão na Terra.

"Se observarmos com cuidado, notaremos a degenerescência da mensagem do Senhor, mesmo nos dias atuais, quando as seitas e igrejas que se multiplicam ferozmente, cada qual pretendendo a primazia do conhecimento e a dominação da verdade, transformam o dízimo, no que, oportunamente, foram as indulgências... Recursos de mercado materialista são utilizados para atrair fregueses desatentos e ambiciosos que desejam comprar o reino sem que operem a íntima transformação de conduta para melhor, amplia-se a área das licenças morais que são concedidas a inúmeras denominações religiosas ditas modernas, para estarem de acordo com a vulgaridade destes dias... A Igreja Católica Apostólica Romana sofre o desvario da pedofilia de alguns dos seus membros, sacerdotes e prelados, vivendo uma conjuntura muito aflitiva, além do poder temporal de que desfruta há mais de dezessete séculos...

"...E os discípulos do *Consolador*, como se vêm comportando? Não existem já as diferenças gritantes em separatismos lamentáveis, através de correntes que se fazem adeptas de X, Y ou Z, em detrimento da Codificação kardequiana na qual todos haurimos o conhecimento libertador?! Não surgem, diariamente, médiuns equivocados, agressivos, presunçosos, vingativos, perseguidores, insensatos, pretendendo a supremacia, em total olvido das lições do Excelente Médium de Deus?!

"Por outro lado, surgem tentativas extravagantes para atualizar o pensamento espírita com a balbúrdia em lugar da alegria, com os espetáculos ridículos das condutas sociais reprocháveis, com falsos holismos em que se misturam diferentes conceitos, a fim de agradar às diversas denominações religiosas, com a introdução de festas e atividades lucrativas, nas quais não faltam as bebidas alcoólicas, com os bailes estimulantes à sensualidade, com os festejos carnavalescos, a fim de atrair-se mais adeptos e especialmente jovens, em vez de os educar e orientar, aceitando-lhes as imposições da transitória mocidade. Denominam-se os devotados trabalhadores fiéis à codificação, em tons chistosos e de ridículo, como ortodoxos, e, dizem-se modernistas, como se os Espíritos igualmente se dividissem em severos e gozadores, austeros e brincalhões na utilização da mensagem libertadora do Evangelho de Jesus à luz da revelação espírita...

"Sem dúvida, são as paixões humanas viciosas, que permanecem em predomínio, gerando essas situações dolorosas... Ao lado delas, porém, por invigilância de quantos se permitem aceitar essas imposições, encontramos a interferência das mentes adversárias do Cristo trabalhando-os, inspirando-os, com o objetivo claro de demonstrar o que denominam como a "falsidade do Cordeiro", graças aos Seus fiéis insanos. Desse modo, a obsessão campeia em muitos arraiais religiosos, não excluindo a seara espírita, infelizmente, na qual se encontram alguns Espíritos estúrdios e ignorantes desejando a projeção do ego, assim como fruir uma situação de relevo, conseguir a libertação dos conflitos pela exaltação da personalidade...

"Não deixam de ser preocupantes essas inovações que mantêm os vícios e as licenças comportamentais, em detrimento da conduta saudável e honrada, no serviço de consolação dos sofrimentos humanos e no trabalho de erradicação das suas causas.

"O espetáculo, portanto, tem a sua programação nessas regiões nefastas da erraticidade inferior, onde se encontram aqueles que nos foram vítimas e não acreditam em nossos atuais valores. Ainda mais, quando nos testam e falhamos lamentavelmente, aderindo-lhes aos sentimentos vulgares e doentios. Conhecendo-nos as debilidades espirituais e os pontos nevrálgicos, à semelhança de calcanhares de Aquiles, utilizam-se da nossa vulnerabilidade para intrometer-se nas programações dignificantes da conduta humana, mantendo os clichês dos vícios e das soluções milagrosas do arrependimento de última hora, da *aceitação de Jesus* no instante final da etapa física, para a conquista mentirosa do paraíso...

"Faz-se urgente uma revisão dos atuais comportamentos no convívio social, nas greis religiosas, políticas, artísticas, em que o belo vem sendo substituído pelo erótico, em que o crime hediondo do aborto transforma-se num ato de coragem digno de imitação, proclamado por multiplicadores de opinião e mulheres que se tornaram famosas...

"À semelhança dos tempos estoicos do Cristianismo primitivo, torna-se impositivo de urgência a volta a Jesus, desataviado e simples, à pulcritude dos Seus ensinos e à sua vivência natural.

"Assevera-se que hodiernamente não há mais lugar para a vida ingênua e elevada, em razão da tecnologia avançada, das grandes conquistas da Ciência e do conhecimento em geral, quando se deveria afirmar que estes são os dias, sim, da vivência nobre, sendo divulgada como de natureza terapêutica para prevenir as criaturas humanas da depressão pandêmica, das enfermidades psicossomáticas, dos processos enfermiços degenerativos, da violência e da agressividade, dos crimes de todo jaez, da interferência dos Espíritos infelizes nas existências humanas gerando obsessões e transtornos vários, tão lamentáveis quanto dolorosos...

"Estamos encarregados, nós, os Espíritos que nos encontramos a serviço do Senhor e da preparação dos novos tempos, de despertar as consciências, de trabalhar em consonância com os companheiros da jornada carnal, de maneira que a renovação seja feita desde agora, passo a passo, reconstruindo o mundo moral em toda parte, especialmente nas paisagens íntimas, no *coração de onde procedem as boas como as más palavras* e condutas, conforme enunciou o Rabi galileu.

"Não se trata de uma tarefa simples e fácil, como, aliás, nada o é, quando se trata de valores de enobrecimento, de transformações radicais dos desequilíbrios para a ordem, do erro para o acerto. Empenhados no programa traçado por Jesus, porfiemos, não cedendo espaço à frivolidade nem às insinuações douradas que o Mal propõe.

"Jesus, hoje como ontem, e amanhã como hoje, é o nosso lema. Vencedor dos tempos, Ele aguarda que a Sua mensagem seja realmente vivida conforme no-la ensinou pelo exemplo. Não há outra alternativa, senão avançar no rumo da vitória sobre as tendências inferiores."

Calou-se, emocionado, enquanto respirávamos o ar balsâmico da Natureza em festa estelar...

Um grande silêncio, apenas quebrado pelas harmonias siderais, a todos nos dominou.

18

REFLEXÕES E DIÁLOGOS PROFUNDOS

Tomados pelo encantamento ante as lições que nos foram transmitidas, e havendo surgido o momento que todos desejávamos, a fim de aprofundarmos reflexões, o caro Ivon indagou ao venerável amigo espiritual:

– Penso que o nobre mentor está preparando-nos para experiências mais significativas do que estas que estamos vivenciando no momento, não é certo? A narrativa a respeito das nossas responsabilidades faculta-me pensar que as nossas vítimas estão necessitadas de nós, nos ambientes infelizes em que se refugiam. Poderia, o caro orientador, acrescentar-nos algo mais?

Todos procuramos absorver os ensinamentos que viriam em resposta à indagação oportuna do querido companheiro.

Sem fazer-se rogado, Dr. Sílvio relanceou o olhar portador de diferente brilho no momento e confirmou:

– O nosso propósito, com as informações apresentadas, é o de despertar em todos o sentimento de responsabilidade em relação aos acontecimentos infelizes que ocorrem no planeta e à onda de desespero que varre a Terra. Observamos as lutas sangrentas que defluem do terrorismo internacional, em que, no início, oriente e ocidente se confrontavam... Não podemos esquecer que tais ocorrências ainda são remanescentes das infelizes Cruzadas, que levaram os ocidentais à pilhagem e ao crime sob o comando de alguns reis fanáticos e outros semibárbaros que, em nome da defesa do túmulo vazio de Jesus Cristo, avançaram como gafanhotos esfaimados com as suas hostes sobre as sementeiras culturais e riquezas que acreditavam poderiam tomar daqueles aos quais elegeram como inimigos, sem que houvesse motivos para a aturdida conclusão. Rios de sangue correram e ressentimentos profundos criaram barreiras entre as duas culturas que deveriam unir-se, a fim de beneficiar a Humanidade como um todo...

"De imediato, a precipitação, filha do medo e do rancor, desencadeou mais uma vergonhosa guerra de difícil encerramento na atualidade com a morte de milhares de civis e militares, cada dia com maiores complicações.

"Passado o primeiro momento, ampliou-se o fanatismo nacional em inúmeros países submetidos ao jugo inclemente de outros, mais poderosos, estimulando o uso perverso das bombas humanas, em inconcebíveis atentados à própria, assim como a outras vidas.

"As tropas espirituais inferiores que, no momento, semeiam a hediondez no planeta, têm algumas das suas lideranças nas vítimas da *Inquisição* inditosa, sob o comando de antigos rabinos judeus e ulemás mouros, que estorcegaram até a morte inclemente nas sessões de tortura, nos cárceres infectos, ou foram queimados vivos após sofrerem todo tipo de martírios...

"Inditosos até hoje, desde os recuados dias de 1478 em Espanha e de 1536 em Portugal, quando tiveram início as perseguições, em decorrência da bula papal firmada por Sixto IV, no dia 1º de novembro de 1478, por solicitação dos *reis católicos,* que desejavam coibir, conforme o conseguiram, as práticas ditas mosaicas em forma de ritos e cerimônias entre os denominados *cristãos novos* de Castela e Aragão, considerando que as mesmas se propagavam em razão da tolerância de bispos e outras autoridades eclesiásticas permissivas...

"Através das bulas e dos editos inquisitoriais a perversidade e os interesses mesquinhos espalharam o terror na Península Ibérica, qual ocorria também em diversos outros países. A ignorância, filha do despudor, levava aos tribunais todos aqueles que caíssem na desgraça de uma denúncia feita por interessados no espólio das vítimas, em concordância com os prelados e bispos nomeados para esse fim, em ambos os reinos de Castela e de Aragão pelos seus reis, gerando o infortúnio que se arrasta até estes dias de sombra e de recuperação... A hedionda organização sobreviveria terrível até extinguir-se em Espanha no ano de 1834, embora ainda funcionasse até bem mais tarde, e em Portugal até 1821. Não esqueçamos o Auto de fé de Barcelona em relação aos livros espíritas, no dia 9 de outubro de 1861, na esplanada do Castelo daquela cidade catalã.

"O amor de Jesus convoca-nos, desde há muito, para que executemos um programa de reabilitação dos nossos gravames, buscando aqueles aos quais ofendemos, torturamos e levamos ao infortúnio. Como estamos vivendo o período das definições espirituais no globo terrestre, já não podemos adiar a oportunidade da busca e do encontro conscientes com os nossos irmãos em desdita, que permanecem nos labirintos do ódio."

– E como poderíamos realizar essa programação? – voltou o amigo a interrogar.

Sem apresentar qualquer enfado, o generoso amigo elucidou:

– Empenhados, conforme nos encontramos, ao lado de milhares de outros grupos de Espíritos que trabalham pela implantação dos novos tempos, especialmente na atividade preparatória da reencarnação dos luminares do passado, assim como dos nossos irmãos convidados de Alcíone, acompanhamos o cerco negativo daqueles amigos referidos, tentando impedir a execução do programa em marcha.

"De igual maneira, estarão reencarnando-se elevados Espíritos da filosofia e da arte, da religião e da política do passado, considerados *pais* dessas doutrinas, a fim de poderem reformular, atualizar e conduzir às origens do ideal, dos quais os seus postulados foram afastados, facilitando a transição da sociedade em outros segmentos de que se constitui.

"Teremos oportunidade, em nosso atual labor, de ser enfrentados por esses companheiros em alucinação, que irão desafiar-nos a combates corpo-a-corpo, como nos velhos tempos em que se estabeleciam áreas próprias para as lutas, ante o aplauso de assistentes fúteis que ficavam a regular distância aguardando os vencedores, para aderir às suas façanhas... Enquanto urdem as técnicas da indignidade e da vilania, os nossos serão sempre os instrumentos do amor e da compaixão em forma de caridade para com todos e com nós mesmos, usando o capacete da fé e a espada flamejante da bondade, de forma que a vitória, sem dúvida, será de Jesus descrucificado..."

No silêncio, que se fez natural, o amigo Anselmo inquiriu:

– Prosseguiremos ainda por algum tempo no serviço preparatório das reencarnações, conforme estivemos fazendo?

– Sim, sem qualquer dúvida, porquanto os nossos tentames podem ser considerados ensaios para os acontecimentos massivos que já se encontram preparados, dependendo, exclusivamente, das condições psíquicas do planeta e das responsabilidades assumidas conscientemente pelos pais que receberão os nobres imigrantes, ao mesmo tempo que também acolherão os missionários do passado, agora de retorno.

"Estamos no limiar do glorioso momento anunciado pelo Senhor desde quando esteve conosco e confirmado pelos Seus mensageiros de todos os tempos, que aguardam essa hora para a construção definitiva do *reino de Deus* em todos os corações.

"Somos os trabalhadores humildes que preparam o solo para as grandes avenidas do progresso, ficando esquecidos, a fim de que o conforto e a felicidade deslizem em triunfo pelas vias formosas que nossas mãos calejadas trabalharam, quando o terreno era rebelde e difícil..."

Silenciando, por um pouco, o amigo e benfeitor levantou a cabeça na direção do zimbório coruscante e referiu-se aos fascículos de luz que desciam com relativa velocidade na direção do orbe, iluminando mais a noite deliciosa.

– Eles estão chegando, recepcionados por incontáveis trabalhadores da seara do Mestre, localizando-os nos lares em que deverão renascer...

Houve um mais prolongado silêncio, e não era necessário acrescentar mais nada.

De imediato, porque a madrugada se desenhava após a noite plena, Dr. Sílvio convidou-nos a visitar um bairro periférico, naquela mesma cidade, onde o sofrimento mais se expressava em forma de miséria socioeconômica.

Caminhamos entre os casebres miseráveis com os esgotos a céu aberto, os animais domésticos rompiam sacos plásticos de lixo, em busca de alimento, atraindo vorazes ratazanas que também, vez que outra, atacavam as crianças adormecidas no solo em tábuas desnudas e infectas...

Adentramo-nos em um desses lúgubres redutos, e notei que, de uma humílima construção, exteriorizava-se uma suave claridade.

Percebendo-me a muda indagação pelo motivo daquela diferença, o benfeitor acercou-se-me e socorreu-me, esclarecendo:

– É a residência de Hermenegildo e Rosalinda, um jovem casal de nossa esfera, que renasceu em condição de penúria econômica, a fim de ressarcir antigos comportamentos extravagantes, e que se comprometeram a cooperar com a reencarnação de um dos visitantes de Alcíone.

"Adeptos do Espiritismo, permanecem fiéis aos compromissos abraçados antes do túmulo, havendo-se consorciado, faz poucos meses, após o reencontro feliz na Casa Espírita em bairro próximo, onde experimentam conforto e servem com abnegação.

"Tocados pelos ensinamentos de Jesus, possuem o hábito salutar de ler *O Evangelho Segundo o Espiritismo,* de Allan Kardec, todas as noites antes do repouso, o que se transformou numa forma delicada de estudo espiritual no lar, atraindo expressivo número de amigos desencarnados que cooperam na região, transformando o reduto doméstico em santuário de repouso e de renovação.

"Entremos."

A sala era muito modesta e o espaço, mínimo, onde se encontravam pequena mesa com duas cadeiras, fogão e pia para a higiene da louça e panelas... Tudo muito singelo, um quarto também exíguo e banheiro, num espaço de menos de 30 metros quadrados...

A movimentação espiritual era grande, porque a dimensão parafísica diferenciava bastante da material, comportando significativo número de visitantes entre os quais nos encontrávamos.

Sob a direção do benfeitor adentramo-nos na singela alcova, onde os encontramos adormecidos e parcialmente desdobrados da argamassa celular, apresentando alguma lucidez e um júbilo confortador.

Parecendo conhecer Dr. Sílvio, abraçaram o mentor e expressaram a imensa alegria que os tomou de inopino, exteriorizando o amor dos Céus pelos seus servidores na Terra...

Nesse comenos, adentrou-se um Espírito nobre, que logo identifiquei como imigrante, apresentando indescritível satisfação que também nos contagiou.

Dr. Sílvio apresentou-o aos futuros pais, que se mostravam exultantes, passando a dialogar de maneira muito especial. Enquanto o casal manifestava o seu pensamento verbalizando-o, podíamos notar que o visitante emitia ondas mentais muito poderosas que se condensavam como símbolos-respostas perfeitamente entendíveis.

O visitante dizia-se vivamente interessado em desfrutar da futura experiência iluminativa, trazendo no imo anelos de amor e desejos imensos de contribuir em favor da transformação do planeta e da sua sociedade, para o que se preparara antes de chegar à Terra em veículo especial, para observar as conquistas já logradas e eleger o labor em que poderia ser mais útil.

Desejava renascer naquele reduto de dor e de necessidade, a fim de elevá-lo a melhor condição através dos esforços que empreenderia e das ações que realizaria em favor do desenvolvimento da comunidade sofrida...

Por alguns momentos acompanhamos aquele peculiar diálogo, terminando com o anúncio da sua vinculação ao casal em próximos dias, quando deveríamos estar presentes participando da sua reencarnação.

Abraçou efusivamente os futuros genitores que ficaram imantados com a luminosidade que dele se exteriorizava.

Dr. Sílvio convidou-o a permanecer conosco por ocasião da visita que iríamos realizar a outro domicílio, para onde rumamos.

A presença do respeitável amigo deu um colorido especial ao nosso grupo, em razão das irradiações que produzia, facultando-nos uma conversação edificante a respeito da vida na dimensão de onde provinha. Ele mantinha o mesmo método a que já nos referimos, enquanto verbalizávamos o pensamento ele transmitia por telepatia simbólica a sua resposta.

Informou-nos sobre a beleza da região que habitara até há pouco, do multicolorido de que lá se reveste a natureza e da indescritível harmonia que reina nesse lar de progresso indefinível. Referiu-se à ausência do sofrimento conforme o entendemos, dos processos de fraternidade e de convivência em auxílio mútuo, de júbilos e de gratidão ao Supremo Criador do Universo, reverenciado em espírito e verdade, das formosas conquistas da inteligência aliadas às dos sentimentos.

O seu pensamento exteriorizado produzia uma vibração musical que também absorvíamos, adornando com sons delicados as imagens que podíamos captar.

Por sua vez, interrogou-nos a respeito das paisagens de sombra e angústia que notara na Terra, das densas ondas de infelicidade e de revolta que lhe produzia choques vibratórios, assim como do horror da violência, das buscas desenfreadas pelas paixões dissolventes e destrutivas, que caracterizam, por enquanto, o nosso *mundo de provas e de expiações.*

Sem nenhuma expressão de censura, analisou o primarismo ainda existente em nosso planeta, onde os horrores da guerra ceifam milhões de vida com periodicidade, assim como a ocorrência das contínuas vagas de terrorismo de toda espécie, dos fenômenos sísmicos que abalam a estrutura geológica da Terra, dos sofrimentos superlativos...

Havia uma dorida expressão na sua face ao analisar o novo mundo onde iria trabalhar, em tentativa de auxiliá-lo a melhorar-se, tornando-se mais tristonha ao referir-se à criminalidade, aos terríveis abortos provocados, às aplicações da eutanásia, ao volume de suicídios e ainda à pena de morte legalizada...

Por fim, referiu-se aos *tsunamis* de natureza moral, de alguma forma responsáveis por aqueloutros decorrentes da adaptação das placas tectônicas em contínua movimentação.

À medida que o Dr. Sílvio o informava e ambos comentavam as ocorrências ora vigentes em nosso amado orbe, mais se lhe assinalava a face a expressão de ternura e de compaixão, exprimindo o sentimento de solidariedade pelos sofredores do mundo, que anelam pela libertação dos atrativos nefastos e dos grilhões que os prendem ao primarismo ainda em predominância em nossa cultura social e moral, nestes dias em vagarosa alteração para melhor.

Evitando que o momento se transformasse em melancolia e aflição, habilmente o mentor pôs-se a narrar as expectativas do trabalho em pauta, assim como a felicidade de poder-se ajudar, de construir-se o bem onde se encontram os escombros remanescentes do mal.

De imediato, todos nos refizemos, e o doce encantamento decorrente da presença do convidado voltou a entusiasmar-nos.

Nesse ínterim, alcançamos um apartamento no centro da cidade em um edifício de classe média, e adentramo-nos.

Podia-se respirar a psicosfera de paz, sem a presença de Espíritos vulgares e perturbadores, sendo recebidos à porta pelos residentes risonhos, em parcial desdobramento pelo sono fisiológico, que nos pareciam esperar, embora eu não tivesse ideia de que iríamos ali...

Dr. Sílvio, sempre muito cortês e ético, apresentou-nos o casal portador de grande simpatia, Alonso e Eunice, que estavam expectantes a respeito da possibilidade de serem aquinhoados com a bênção da progenitura.

Dificuldades iniciais que inibiam o cavalheiro haviam-se tornado motivo de sofrimento, que foi ultrapassado, mediante uma cirurgia de pequeno porte a que se houvera submetido com excelentes resultados, fazia pouco tempo.

Naquela noite, após a comunhão sexual que se facultaram, aguardavam que a misericórdia divina os felicitasse com a futura chegada de um filhinho para aconchegar-se aos seus cuidados.

Enquanto conversávamos jovialmente, adentraram-se dois amigos de outro grupo dedicado à reencarnação, trazendo o Espírito que iria envergar a indumentária carnal a partir daquele momento.

Todos adentramo-nos na alcova e nos detivemos ante os seus corpos adormecidos, envoltos pela ternura de um abraço de gratidão e de júbilo...

Dr. Sílvio aproximou-se da senhora Eunice que apresentava o coração iluminado por peregrina luz, enquanto o seu organismo ainda mantinha os espermatozoides em movimentação no aparelho genésico.

O geneticista sábio explicou-nos que se tratava de uma pasta amorfa em atividade, constituída por centenas de milhões de espermatozoides, três milhões dos quais podem penetrar no útero, com capacidade de sobreviver pelo tempo de até 48 horas. Esclareceu-nos que o processo de fecundação dá-se dentro de um período de mais ou menos 10 horas, quando *o selecionado* ruma em viagem ascensional pelo tubo vaginal, atravessando o colo do útero, a fim de poder penetrar na trompa de Falópio, onde se dará o encontro com o óvulo preparado para recebê-lo.

– Esse *milagre* – esclareceu, lúcido – é um dos momentos mais grandiosos da vida, que logo mais se transformará num ser humano, qual ocorre, igualmente, com ligeiras diferenças, nos reinos vegetal e animal... Quando se dá a união dos gametas, tecnicamente estão programadas as heranças dos ancestrais, que sabemos serem estabelecidas graças à *Lei de Causa e Efeito* através do perispírito.

Isto posto, ele acercou-se da senhora e aplicou as mãos com as palmas estendidas para baixo, como se estivesse anulando a organização material e chamou-nos a atenção para a intimidade do seu aparelho genésico.

Logo depois, solicitou ao futuro reencarnante que mais se aproximasse e pensasse com forte energia na vinculação ao espermatozoide que fosse portador de algumas das suas e das características biológicas dos pais.

Do seu *chakra cerebral*, que se iluminou como um pequeno arco-íris em volta da parte superior do cérebro, destacou-se um raio prateado que penetrou na pasta gelatinosa e se fixou em um pequeníssimo gameta, que também absorveu a luminosidade agora em tom azul, vitalizando-o e fazendo-o disparar do grupo em que se encontrava submerso...

Iniciava-se o processo que culminaria no momento da fecundação do óvulo, isto é, quando se unirá aos receptores de proteína na pelúcida, produzindo uma reação enzimática, assim facilitando que a área seja perfurada, penetre o óvulo e o fecunde, o que dura, normalmente, uns vinte minutos, e do posterior deslocamento do ovo para a implantação na câmara uterina.

O tempo se encarregaria do processo natural e, a partir daquele momento, o nosso visitante já se encontrava psiquicamente vinculado ao futuro corpo que seria trabalhado pelo perispírito.

– A jornada para o espermatozoide realizar, é muito grande e cheia de desafios – elucidou o nosso mentor – porque a distância a vencer é larga e a viagem se realiza, mais ou menos, com a velocidade de um centímetro por minuto, estando a parte superior da trompa de Falópio localizada a uns trinta centímetros... Ele também tem que resistir aos ácidos que o organismo feminino produz, matando um grande número de candidatos. Em razão dos objetivos divinos da procriação, por ocasião da ovulação essa acidez diminui, o que facilita a sobrevivência de muitos que seguem atraídos pelo óvulo.

Observamos que, ao dar-se a vinculação do psiquismo do amigo espiritual com o espermatozoide, ele experimentou uma espécie de choque, empalidecendo levemente e parecendo sofrer rápido aturdimento, logo superadas essas emoções e sensações.

Poderia permanecer em atividades outras, no entanto, a ligação com o gameta masculino seguiria o seu curso e posteriormente se daria a fecundação, logo seguida por todo o processo de renascimento na carne.

Informados da ocorrência, nos seus detalhes próprios, os futuros pais beijaram as mãos do Dr. Sílvio e abraçaram ternamente aquele que seria o filho anelado, levando-nos todos à emoção das lágrimas.

Comentando a luta que o espermatozoide trava com os elementos que lhe são hostis, no organismo feminino, em mecanismo de defesa, o benfeitor referiu-se:

– Moderna escola de psiquiatras discípulos da admirável Dra. Melanie Klein, consideram que esse fenômeno permanecerá no inconsciente profundo do ser humano, gerando-lhe alguns problemas de comportamento, que necessitam de cuidadosa psicoterapia, a fim de conseguir a total libertação, tal o choque decorrente da batalha travada nesse período que precede a fecundação...

O querido mentor, ante a manhã que surgia risonha, na simplicidade da recâmara em que nos encontrávamos, convidou-nos à oração de agradecimento a Deus pela Sua inefável misericórdia, levando-nos a um quase estado de êxtase, enquanto traduzia os nossos sentimentos ante a contemplação da vida humana em processo de desenvolvimento físico, seguindo no rumo da sua fatalidade biológica.

Participando de um evento dessa natureza, não existe quem não se dobre vencido ante a majestade divina geradora da vida na sua multiplicidade de aspectos.

Somente o amor possui esse condão mágico de a tudo comandar e abrir portas à sua compreensão.

Terminada a tarefa, que se repetiria inúmeras vezes, nos dias que se seguiram, dirigimo-nos ao Núcleo onde tínhamos a sede das nossas atividades.

19

PREPARAÇÃO PARA O ARMAGEDOM ESPIRITUAL

Havíamos recolhido precioso material para demoradas reflexões em torno do *milagre da vida*, nem sempre valorizada pelas criaturas humanas, quando distantes da fé religiosa, dos valores éticos e morais, dos compromissos com a realidade existencial.

Durante toda a semana estivemos visitando os grupos familiares que haviam sido convidados para a reconstrução da nova Terra e a felicidade dos seus habitantes no futuro, bem como daqueles outros que se haviam comprometido espontaneamente, quando se deram conta de que estava ocorrendo a grande revolução do amor no planeta querido.

Voltamos aos lares de Hermenegildo e Rosalinda, de Alonso e Eunice, e noutros mais onde estivéramos, nos quais os processos de reencarnações vitoriosas desenvolviam-se conforme esperado.

O benfeitor informou-nos que naquele reduto lôbrego, onde o crime se tornara uma constante e viviam os nossos irmãos espíritas-cristãos, preservando o clima de paz em volta, o mensageiro que iria ali renascer demonstraria que o ambiente não é o responsável exclusivo pelo comportamento do indivíduo, pois que, em razão do seu estado evolutivo, destacar-se-ia no futuro, seguindo os formosos caminhos da magistratura, de maneira a modificar a soturna paisagem do lugar, mudando completamente a sua estrutura social, econômica e humana...

Por outro lado, o filhinho de Alonso e Eunice deveria dedicar-se às ciências médicas, de modo a mais humanizar essa doutrina, que vem sofrendo grande desrespeito por parte de alguns dos seus membros, que se olvidam do juramento de Hipócrates, para dela fazer uma indústria lucrativa em detrimento das vidas que se estiolam em abandono, longe de qualquer sentimento de compaixão.

Diversos outros, de cujo programa participáramos, estariam comprometidos com diversas áreas do conhecimento científico e filosófico, com a vivência ética, especialmente na política, a cujo ministério se dedicariam com dignidade, modificando os padrões de conduta vigentes e fazendo respeitar-se as leis constituídas, iniciando o mister por eles mesmos.

Analisando que essa transformação se operaria em todo o planeta, podíamos antever um mundo sem as fronteiras do ódio, sem os separatismos étnicos, que sempre geraram combates impiedosos, sem a miséria econômica portadora de males incontáveis, e, principalmente, sem a miséria moral, que desapareceria dando lugar a novos conceitos em torno dos comportamentos. Enquanto essa transformação não se realiza, embora esteja em franco desenvolvimento em toda parte, nas sombras dos guetos espirituais inferiores, os inimigos do

Bem urdem ataques e tramam vinganças odientas contra as criaturas.

Nesse sentido, tendo em vista serem os espíritas sinceros os novos cristãos, sem nenhum desrespeito a outros tantos servidores do Evangelho de Jesus espalhados no mundo, tanto quanto cidadãos honestos não vinculados a nenhuma denominação religiosa, porém, valorosos e dignos, as baterias da maldade estavam sendo colocadas na sua direção. É claro que também os indivíduos honestos e de sentimentos elevados não ficavam à margem da ação ignominiosa desses infelizes do Além, por considerá-los obstáculos aos objetivos que abraçam, quais sejam a extinção do Bem, as subjugações e vampirizações coletivas como já se podem observar, porém, em número mais volumoso, à desventura e alucinação nos jogos dos prazeres sórdidos...

Com certeza, embora as armadilhas perversas e as perseguições inclementes, ninguém, que se encontre desamparado, a mercê do mal, exceto quando se permite espontaneamente a vinculação com essas forças ignóbeis...

Deter-nos-emos especialmente na área do movimento espírita comprometido com Jesus e Sua doutrina, alvo primordial de determinados grupos da grei autodenominada como o Mal.

Acercando-se dos médiuns invigilantes, vêm inspirando-os a comportamentos incompatíveis com as recomendações do Mestre Jesus e dos Espíritos superiores através da Codificação kardequiana, estimulando-os a espetáculos em que a mediunidade fica ridicularizada, como se fosse um adorno para exaltar o seu possuidor. Concomitantemente, fomentando paixões servis nos trabalhadores afeiçoados ao socorro espiritual nas reuniões mediúnicas, fazendo-os crer que estão reencontrando seres queridos de outras existências, que agora lhes perturbam os lares e facilitam convivências adulterinas em flagrante desrespeito aos códigos morais e aos do dever da família... Fascinação, subjugação, que se iniciam discretamente e roubam o discernimento de muitos, constituem o jogo das Entidades insanas, aproveitando-se das debilidades ainda persistentes em a natureza humana...

Além dessas ações nefastas, trabalham pela desunião dos companheiros de lide espiritual, pela maledicência e calúnias bem divulgadas, como se estivessem trabalhando para senhores diferentes e não para Aquele que deu a vida em demonstração insuperável de amor e de compaixão por todos nós.

Em determinadas situações, desencadeiam enfermidades de diagnose difícil, ocultando a sua interferência nos organismos debilitados e carentes de energias, levando ao fosso do desânimo pessoas afeiçoadas ao dever e comprometidas com a fraternidade legítima.

Na área da caridade, movimentam os discutidores que perdem o tempo entre os conceitos de paternalismo e de promoção social, olvidados do socorro que normalmente chega tarde, quando se aplicam as horas em ociosidade mental e divagação intelectual.

O Armagedom bíblico do *Apocalipse* de João e das tradições judaico-cristãs, não se restringe apenas à estreita faixa do *Vale do Megido*, ou do monte do mesmo nome, quando os exércitos de todas as nações se reuniriam para a batalha final...

Todo o planeta hoje pode ser denominado como o *Vale de Jeosafá,* onde já se travam as batalhas de extermínio em que o Senhor de misericórdia será o vencedor da impostura e da perversidade.

Legiões de dedicados missionários do Bem movimentam-se em toda parte, de forma a atenuar as consequências da imprevidência de uns, do desespero de outros, e na Seara espírita, as advertências dos mentores são contínuas, não as entendendo aqueles que se encontram surdos para a verdade, distraídos para a renovação moral intransferível, volúveis ao compromisso assumido, porque autofascinados, tornam-se modernos Narcisos...

Oportunamente, Dr. Sílvio informou-nos que estava sendo programado um encontro com um antigo rabino judeu vitimado nos já referidos terríveis dias do fim do século XV, na Espanha, quando da expulsão dos não-católicos daquelas terras.

Já conhecíamos a sociedade espírita onde deveria ocorrer a atividade do nosso benfeitor com o convidado espiritual Eliachim ben Sadoch, que comandava expressivo bando de assaltantes desencarnados, ora dedicados à campanha de extermínio dos discípulos da Terceira Revelação judaico-cristã.

Para que lográssemos o êxito desejado, os Mentores, em nossa esfera de ação fora da Terra, delinearam como se daria o encontro para o qual nos deveríamos preparar espiritualmente.

Predispostos ao labor e confiando na divina misericórdia, dirigimo-nos ao Núcleo Espírita, onde tivemos oportunidades anteriores de estagiar.

A instituição dedicada ao estudo da Codificação do Espiritismo conforme os austeros métodos utilizados por Allan Kardec, ressaltando o labor em torno da educação sob todos os aspectos considerados, porque não apenas adstrita às criaturas reencarnadas, mas também aos desencarnados em sofrimento e em ignorância das Divinas Leis, estava em plena realização do seu programa quando chegamos.

As salas de estudos e de socorro fluidoterapêutico encontravam-se repletas de trabalhadores sérios e de necessitados de ambos os planos da vida.

O salão reservado para as conferências e simpósios, assim como aos passes coletivos, encontrava-se com todos os lugares tomados por pessoas expectantes e ansiosas pela palavra iluminada de que seria instrumento o expositor da noite.

A movimentação dos Espíritos desejosos de comunicar-se com os familiares era expressiva, assim como dos indivíduos atormentados por problemas de vária ordem, que se haviam dirigido à Casa espírita, esperando orientações e conforto para os dramas que carregavam como cruzes ocultas, íntimas e afligentes.

Quando o encarregado da palestra chegou, pudemos notar a alegria sincera que se desenhou em muitos rostos.

Pessoas que se encontravam contraídas aliviaram as marcas da aflição e exteriorizaram vibrações de simpatia que passaram a envolver o trabalhador de Jesus.

De imediato, ele se deteve numa ou noutra fila, saudando os amigos e os visitantes, de modo que todos tivessem oportunidade de receber-lhe o benefício das energias que também externava.

Acompanhamo-lo de perto e escutamos as solicitações enunciadas e as silenciosas de grande número de presentes, confiando na inspiração que o tomaria, e nas bênçãos que iriam recolher durante a mensagem de que se faria portador.

Sempre vigilante, Dr. Sílvio nos disse:

– O Espiritismo é uma doutrina séria, que não pode ser utilizada para a frivolidade nem para a autopromoção de qualquer dos seus membros. Representando o *Consolador* que Jesus prometeu, embora seja uma formosa mensagem portadora de alegrias, não se comporta como espetáculo hilariante para divertimento dos frívolos.

"Quase todas essas pessoas, assim como os Espíritos que acorreram a este local, são portadores de graves questões que os atormentam, ansiando por uma orientação de equilíbrio e apoio fraternal, a fim de poderem recuperar as forças que lhes facultem continuar na marcha até a libertação orgânica. Familiares angustiados pela desencarnação de seres queridos, enfermos de diversas patologias, incluindo severas obsessões, anelam por diretrizes de saúde e de paz, vitimados por injunções socioeconômicas e de comportamento social, necessitam de bondade e auxílio para não tombar no fosso das depressões graves ou enlouquecerem de agonia ante as incertezas que os atormentam... Certamente, não há lugar para as gargalhadas nem os exibicionismos pessoais, em falsas condutas terapêuticas de natureza circense...

"Ninguém mais feliz do que Jesus, no entanto, jamais alguém que se Lhe equiparasse na seriedade com que sempre tratou das questões pertinentes ao *reino dos Céus.*"

Pontualmente, à hora estabelecida, em respeito aos compromissos de todos, o diretor da Casa deu início à reunião de estudos, convocando os presentes à oração gratulatória e solicitando inspiração para os labores da noite.

À medida que falava com unção, foi aureolado por delicada luminosidade que dele mesmo se expandia.

Em seguida, passou a palavra ao responsável pela dissertação da noite, que abordou a *Parábola do Filho pródigo,* lendo com cuidado o texto e, de imediato, interpretando-a em termos compatíveis com os conhecimentos atuais da psicologia, da filosofia, da ética, da sociologia e especialmente do Espiritismo...

Novos ângulos foram abordados, sutilezas ocultas nas lições foram expostas, atualizações dos ensinamentos tiveram seu momento de apresentação, tudo isso numa linguagem escorreita e em tons coloquiais, levando os ouvintes atentos a reflexões interiorizadas, que os iriam auxiliar a entender o significado profundo da mensagem de Jesus.

Entremeando a dissertação com observações joviais, vez que outra, numa metodologia pedagógica saudável, que não diminuía a gravidade do conteúdo, inspirado por nobre estudioso do nosso plano, a todos nos sensibilizou com a palavra enobrecida e carinhosa.

Ao terminar, a psicosfera ambiente era de paz, abrindo espaço para a aplicação coletiva dos passes, quando os médiuns dedicados ao mister tomaram suas posições em diferentes lugares, iniciando-se as vibrações que canalizaram para todos os presentes as energias revigorantes que os sensitivos absorviam e distribuíam, iluminando todo o amplo espaço.

Familiares desencarnados acercaram-se dos seus afetos e os inspiraram, enquanto esses oravam afervorados, e, ao término, após a prece de encerramento, todos saíram dominados por inefável bem-estar e renovados interiormente para os enfrentamentos da evolução.

Em continuidade, o companheiro expositor encaminhou-se a uma pequena sala contígua, onde prosseguiu ouvindo e aconselhando as pessoas que foram adrede selecionadas pelos atendentes fraternos.

Sempre acompanhado por abnegados Mensageiros do nosso plano sob a orientação do seu Mentor, ofereceu o pábulo alimentício da palavra do Evangelho, com os esclarecimentos espíritas em torno dos problemas de cada um, enquanto os benfeitores espirituais se encarregavam de anotar o endereço de cada paciente, a fim de prosseguirem auxiliando-o com os recursos de que são portadores.

A ordem, a disciplina e o asseio da instituição faziam-se presentes em toda parte, demonstrando que o serviço do Bem não deve ser feito de improviso, de qualquer maneira, merecendo o respeito que se dedica a todas as questões relevantes.

Depois de algumas horas de atendimento, o companheiro dirigiu-se ao lar com alguns amigos que o acompanhavam no mister, enquanto ficamos participando das atividades que prosseguiam em nossa esfera de ação.

Embora as instalações fossem cerradas no plano físico, palestras espíritas sucederam-se no salão, e, nos outros setores,

Espíritos afervorados ao dever continuaram em atendimento aos necessitados de toda ordem.

O trabalho é a tônica de manutenção do equilíbrio em todo lugar.

O repouso é uma necessidade orgânica, no entanto, quando se busca demasiado descanso, foge-se ao dever sob falsos pretextos, porquanto mudança de atividade, despertando novos estímulos emocionais, também funciona como renovação de energias.

A noite avançava, quando chegaram os trabalhadores especializados no tipo de reunião que logo mais teria lugar.

Na sala mediúnica, especialmente reservada aos atendimentos de desobsessão, a movimentação dos Espíritos dedicados ao mister era significativa. Havia-se encerrado um labor, e técnicos em limpeza psíquica ambiental adentraram-se no recinto para prepará-lo para o próximo compromisso.

20

O ENFRENTAMENTO COM A TREVA

Os membros, que foram convocados entre os encarnados, eram companheiros adestrados no socorro aos Espíritos renitentes no mal e acostumados aos debates que sempre se travam durante os atendimentos especializados.

O médium Joseval, que fora responsável pela dissertação da noite, veio trazido pelo mentor amigo, apresentando significativa lucidez, acostumado como se encontrava com os desdobramentos parciais pelo sono fisiológico e com as realizações espirituais em nossa esfera de residência.

Jovial, saudou-nos a todos, demonstrando especial carinho em relação a este modesto narrador, e colocando-se inteiramente à disposição do Dr. Sílvio, que deveria dirigir a atividade programada.

Nesse comenos, um dos vigilantes que se encontravam à porta de entrada da instituição, veio notificar-nos que o grupo de rabinos judeus acercava-se, apresentando-se de maneira pomposa, com indumentárias extravagantes e o sumo sacerdote Eliachim ben Sadoch, à frente, caminhava com orgulho maldisfarçado, estampando uma carantonha de ódio e soberba. Acolitado por mais de uma centena de outros chefetes, igualmente portadores de semblantes ferozes, alguns com visíveis deformações, deteve-se à porta principal.

Cães amestrados, que pareciam anteriormente seres humanos, ora hipnotizados, assumindo formas animalescas, em razão da crueldade de que se fizeram portadores durante as existências anteriores, evitavam que grande número de adeptos e de vitimados pelos administradores da triste coorte gerassem qualquer embaraço.

Chegando à área fronteiriça à porta de entrada, tomaram ridícula posição de combate, nos antigos moldes medievais, empunhando estranhos instrumentos de guerra, e, em gritaria selvagem que repercutia em todo o ambiente, pareciam aguardar a voz de comando.

Veneranda entidade feminina acercou-se do fanfarrão desencarnado e desarmou-o com a simplicidade das suas vestes, a irradiação de compaixão e ternura, convidando-o a adentrar-se no recinto, onde era aguardado com respeito e afetividade, sendo permitida também a entrada de alguns membros do seu séquito que, confessamos, era estranho e sombrio...

Carregando volumoso número de pergaminhos amarelecidos e gastos, entregou-os a um dos auxiliares, seguindo após a anfitrioa gentil. Dez outros sacerdotes das antigas seitas que se derivaram do judaísmo na Europa, igualmente tiveram acesso à sala que os aguardava, enquanto ficavam, furibundos e agitados, os demais membros da estranha caravana de honra e a malta de desesperados servidores e subalternos.

Nesse comenos, o diretor espiritual dos trabalhos exorou a Jesus:

Senhor Jesus, Augusto Mestre:

Embora as sombras da ignorância predominem em nosso mundo interior, permite que a sublime claridade do Teu inefável amor nos inunde de esclarecimentos, libertando-nos da perversidade que persiste, dominadora.

Não somos outros Espíritos, senão aqueles réprobos que Te negamos, mais de uma vez, embora situados nas fileiras do Teu Evangelho, assumindo compromissos perniciosos que nos envergonham até este momento.

Hoje, novamente convocados pela Tua misericórdia, ao serviço iluminativo, sentimos a fragilidade em que nos demoramos, e, por isso, deixamo-nos conduzir pelas Tuas santas mãos, cobrindo as pegadas luminíferas que ficaram pelos caminhos, sinalizando a Tua passagem pela Terra...

Ajuda-nos, portanto, a ajudar, socorrendo aqueles que foram nossas vítimas quando defraudamos a Tua mensagem, infelicitados pelos interesses sórdidos da nossa mesquinhez.

Torna a nossa palavra, suave e enérgica, os nossos sentimentos, elevados e meigos, a nossa mente, lúcida e compreensiva, a fim de que não venhamos a dificultar a concretização dos Teus planos para com os infelizes, que somos quase todos nós.

Raiando a nova madrugada, propicia-nos a incomum felicidade de ampliar os horizontes ainda em sombras para a luz da verdade de que Te fazes portador.

O irmão, que iremos receber, ao lado de outros que tombaram nos fossos profundos do ódio, guarda as lem-

branças do que lhe fizemos ontem, quando conspurcamos o Teu nome com as nossas paixões.

Apiada-Te de todos nós, os Teus servos humilíssimos, e sê conosco a partir deste momento, através dos Teus mensageiros sublimes, a fim de que consigamos melhor contribuir na Tua seara fecunda.

Que assim seja!

Ao silenciar, apresentava a emoção que a todos nos tomara.

Uma indescritível onda de paz dominava-nos a todos, que nos encontrávamos unidos em suave harmonia de enternecimento.

Chegando ao recinto, devidamente protegido por correntes fluídicas cuidadosamente distribuídas em torno do edifício e, em especial, da sala mediúnica, o desafiador iracundo não pôde sopitar os sentimentos infelizes de que se fazia portador, exigindo mais consideração e destaque, no que, certamente, não pôde ser atendido.

– Seja bem-vindo à Casa de Jesus – saudou-o, propositalmente, Dr. Sílvio, demonstrando respeito e amizade.

– Não me fale esse nome – reagiu, totalmente esfogueado – porquanto não tenho a mínima consideração por essa nefanda criatura mitológica da tradição dos dominadores da Terra...

E permitiu-se estertorar em estrondosa gargalhada.

Embora houvesse reação de todos os recém-chegados, que se puseram a blasfemar, Dr. Sílvio acercou-se do médium Joseval, que se encontrava em semitranse, e, antes mesmo que o sumo sacerdote se desse conta, foi atraído ao seu campo perispiritual, como uma limalha de ferro à ação do ímã...

O médium em incorporação atormentada, moveu-se, tomando uma atitude arrogante, enquanto o Espírito gritava:

– Caímos numa cilada típica dos nefastos cristãos de todos os tempos. Avancem e ataquem os infelizes traidores, rápido...

Movimentaram-se os demais convidados, sem qualquer facilidade, porque as energias ambientais impediam-nos de tomar as atitudes para as quais se haviam preparado, permanecendo imobilizados pelas vibrações que lhes eram dirigidas por todos os presentes.

Ante a impossibilidade, puseram-se a gritar em situação deplorável de desespero, esperando ser ouvidos pelos asseclas que permaneceram fora do recinto, e que os acompanharam, mantendo a expectativa de uma batalha a céu aberto...

Dr. Sílvio manteve-se tranquilo, e após muito breve momento entre as acusações do comunicante e os seus acompanhantes, respondeu com bondade irrepreensível:

– Não tem fundamento a sua afirmação de que os traímos, atraindo-os para uma cilada, porquanto, o desafio partiu do respeitável amigo, desafio que aceitamos para um encontro de esclarecimento, não para uma batalha que caracterizasse o *Armagedom* bíblico, a que se apega, em plano de vingança e de guerra...

– Não ficarei aqui – reagiu com ferocidade, retorcendo-se nos equipamentos mediúnicos – ouvindo suas arengas muito conhecidas minhas, vítima que fui, mais de uma vez, dos argumentos mentirosos dos infames cristãos... Batamos em retirada. Muitas vezes, o recuo é a melhor estratégia num combate, especialmente quando a tropa é vítima da vilania e da sordidez do adversário que a atraiu para o fosso de torpe armadilha. Nunca os cristãos terão qualquer tipo de dignidade para o enfrentamento com a verdade que se encontra na *Torá*, e jamais nas falsas palavras desse adversário de Israel, que foi justamente castigado...

– Confesso-lhe, amigo e irmão, que não existe em nós nenhum sentimento inferior em relação à sua pessoa. Aceitando a sua oferta de decisão em torno da peleja que se alonga pela noite de alguns séculos, o nosso, é o desejo da fraternidade e da paz. Reconhecemos o seu poder nas regiões infernais onde se homizia com outros Espíritos que foram vilmente enganados e traídos no passado, quando ainda nos encontrávamos dominados pela ferocidade das paixões inferiores. O tempo correu na ampulheta das horas e todos mudamos, penso que, para melhor, porquanto, a clara mensagem de Jesus, por fim, alcançou as paisagens da nossa mente e o país dos nossos sentimentos.

"Suplicamos-lhe, bem como a todos aqueles a quem magoamos, o perdão sincero, reconhecendo o nosso erro lamentável e de graves consequências. Honestamente arrependidos, desejamos demonstrar a nossa transformação moral, recebendo-o e a todos quantos anelem pela paz que não fruem desde há muito, paz de que Jesus é o único possuidor."

– Não volte a pronunciar esse nome – revidou furibundo.

– Lamento não poder atendê-lo, porque o servo não é maior do que o amo, nem o escravo melhor do que o senhor. Jesus é o nosso Caminho, nossa Esperança de libertação total, nosso Porto de segurança.

– Fosse Ele tudo isso – resmungou, irônico – e eu não estaria aqui, constrangido e impossibilitado de fazer o que me apraz, confirmando a minha desconfiança em relação a Ele e à escória que O segue.

– Ocorre, que o amigo – esclareceu, paciente – trazia planos de belicosidade, utilizando as armas do ressentimento e da vingança, instrumentalizado por outras de caráter destrutivo, conforme as manipula na área que lhe parece pertencer.

– Deflagrada está a guerra – ripostou, com os olhos fora das órbitas, deixando que a máscara afivelada à face desaparecesse – e venceremos os adversários, não permitindo que mais se expanda a nefasta doutrina agora renascida no Espiritismo, essa peçonhenta herança do maldito Cristianismo dos padres e príncipes da igreja enganosa...

– De fato – respondeu o nobre esclarecedor – o Espiritismo ora esplende nos céus do planeta, confirmando a promessa de Jesus, de que não nos deixaria órfãos, o que realmente aconteceu. O Seu amor e a Sua compaixão permitiram que fossem revistas as páginas que Ele escreveu no santuário da Natureza, através das palavras sublimes e dos exemplos inigualáveis, e que nós adulteramos, adaptando-as aos nossos interesses miseráveis, dando lugar a uma doutrina muito distante da sua legitimidade. Como, porém, nunca é tarde para se recomeçar, refazer caminhos e corrigir enganos, estamos empenhados no compromisso da reabilitação.

– Palavras e palavras, que não alteram os atos ignóbeis do passado, nem alteram os nossos planos de desforço – explodiu, caviloso.

Erguendo o médium em atitude ameaçadora, interrogou com hostilidade irrefreável:

– Veja a paisagem da Terra infeliz. Onde estão a mansidão e a cordura, a compaixão e a misericórdia, tão decantadas? Não vê, por acaso, o que ocorre no mundo rico de poderes ilusórios e de degradação? Em que lugar se ocultam os discípulos do Crucificado portador de muitas culpas, que os engabelou com as Suas palavras e promessas vãs?

– Sim, vemos a presença da luz onde predominava a treva, do amor onde o ódio semeava destruição, da ternura no lugar em que a agressividade reinava e do trabalho de reconstrução sobre os escombros das glórias mentirosas do passado. Anunciam-se novos tempos, quando o sofrimento cederá lugar à alegria de viver, e quando os sentimentos entorpecidos oferecerão campo à floração dos elevados ideais da dignificação humana. Essa lamentável situação será questão de pouco tempo, para ser resolvida, porquanto, momento chega em que a Terra e os seus habitantes serão constrangidos a alcançar patamares superiores da evolução.

– Quando os filhos de Alcíone se instalarão, expulsando os terrícolas? – Indagou, dominado por refinado sarcasmo.

– Não exatamente conforme assinalado. Estamos recebendo visitantes de outra dimensão, que se propõem a ajudar-nos nas transformações que já se vêm operando no planeta, porque a Lei que vige no Universo é a da harmonia, da solidariedade, dos princípios morais estabelecidos pelo Pai Criador.

Gargalhada horripilante estrugiu por entre os lábios deformados do ser que se comunicava, agora apresentando-se em toda a sua hediondez de fera, vítima que se permitira ser da licantropia.

Vimos o médium vergar-se e uivar dolorosamente, apresentando comportamento lupino. Um odor fétido tomou conta do ambiente, à medida que os demais acompanhantes do antigo rabino sofriam equivalentes modificações.

Passamos a aspirar uma psicosfera pesada, muito densa, quase asfixiante.

Enquanto isso ocorria, os diversos membros da reunião em prece de profunda intensidade, tomados de compaixão e sinceramente tocados pelo espetáculo doloroso, lentamente geraram vibrações que diluíram as densas nevoas psíquicas, e, inopinadamente, entre dentes, em convulsão, o comunicante estridulou:

– Nada agora me deterá... Voltaremos a encontrar-nos, infame traiçoeiro... noutro lugar...

– Sim – redarguiu nosso benfeitor – Encontrar-nos-emos, sim, no seu reduto.

Como se fosse arrancado violentamente, desprendeu-se do perispírito do médium que, por pouco, não tombou ao solo, não estivesse Dr. Sílvio em vigília, amparando-o e pondo-o sentado em postura equilibrada.

As outras entidades que o acompanharam, igualmente foram atraídas na mesma onda vibratória e a sala, a pouco e pouco, voltou a adquirir a harmonia inicial.

Deixando revelar a emoção de júbilo, nosso mentor explicou-nos:

– Estava programada essa reação, porquanto, em realidade, não tivemos aqui, o antigo sacerdote Eliachim ben Sadoch, mas um *clone* dele, um Espírito que lhe assimilou as características com o objetivo de enganar-nos, já que, no seu reduto, ele acompanhou todos os lances do nosso encontro.

"Hábil e astuto, não quis correr o risco de um enfrentamento direto, enviando, primeiro, simuladores do seu reino de horror, fortemente vinculados à sua poderosa mente, que os arrancou do nosso recinto, com a permissão dos nossos Guias, sem dúvida, para que não descobríssemos a farsa. Como em nossos labores espirituais a violência é desnecessária, e não nos cabia evitar a evasão dos visitantes, foram tomadas providências para que o diálogo se prolongasse pelo tempo apenas necessário para que ocorressem as metamorfoses, diluindo-se as *máscaras fluídicas* de que se utilizaram para ocultar a atual identidade.

"O enganador é sempre alguém que se equivoca, iludindo-se, enquanto supõe estar ludibriando o seu próximo.

"Consideramos exitosa a tarefa sob as bênçãos de Jesus, que terá seu natural prosseguimento em ocasião oportuna que virá.

"Prossigamos em nosso abençoado labor."

Refazendo a concentração de todos, vimos a irmã Arlinda, veneranda trabalhadora com mais de meio século de dedicação à Causa do Bem, entrar em transe e passar a eliminar energia em forma de ectoplasma, pelos orifícios naturais da face, formando um Espírito nobre que, banhado de azulínea luz, condensou-se no recinto saturado de vibrações perfumadas e elevadas.

Tratava-se de um embaixador de Ismael, guia espiritual do Brasil, que logo se fez identificar, trazendo o apoio do nobre mentor:

Irmãos queridos:

Guarde-nos Jesus na Sua paz e misericórdia.

As vossas preces alcançaram as regiões felizes, e o anjo benfeitor do Brasil enviou-nos, a fim de receberdes o seu apoio honroso, na bendita realização a que vos entregais.

A pátria do Cruzeiro *desempenhará o seu papel cristão no cenário do mundo conturbado da atualidade.*

Missionários do amor e da libertação de consciências encontram-se renascidos entre vós, com a tarefa de devolver ao mundo a mensagem gloriosa do suave-doce Rabi galileu, que sofreu as previstas modificações ao longo dos séculos.

Comprometidos com a Verdade, têm a tarefa de viver o que ensinam, trabalhando os metais da alma, *de forma a amoldá-los às novas finalidades.*

Embora os caminhos ainda permaneçam com espinheirais dominando-os e pedrouços em todo lugar dificultando a marcha, esses peregrinos do dever encontram-se forrados de coragem e de destemor para não se deterem em momento algum, avançando sempre.

Espíritos missionários de outras eras, acostumados à austeridade e à renúncia, inspiram-nos em favor do êxito no desiderato.

Incompreendidos e malsinados, sofrendo escárnio e enfrentando desafios colossais, avançam confiantes no resultado feliz do empreendimento com o qual se comprometeram desde antes do berço.

A sua palavra vibrante e os seus exemplos dignos sensibilizam os públicos que os ouvem e as pessoas que convi-

vem com eles reconhecem que estamos realmente no limiar de um novo tempo de amor, de paz e de verdade.

Não mais os engodos de outrora, nem as louvaminhas da viagem equivocada ao reino da ilusão.

A seriedade e o sacrifício são-lhes as condecorações que carregam nas vestes da alma, identificando-os como seguidores de Jesus, que não teve outra escolha entre a glória mentirosa da Terra e a cruz libertadora que o reconduziu à imortalidade em triunfo.

Percorrem os mesmos caminhos do passado, nos quais deixaram pegadas assinalando crimes e vícios, que ora deverão apagar, sobrepondo as luminosas propostas do amor sem jaça e da verdade sem disfarce…

Vinculados psiquicamente à nossa Esfera, recebem contínuo estímulo para não esmorecerem nas lutas difíceis, nem se desviarem do roteiro que percorrem, animados pelo espírito da alegria e a compensação da paz interna.

Perseguidos pelos adversários da Luz, equipam-se com os instrumentos de defesa, que são a oração e os atos enobrecidos.

Mesmo quando a grande nação brasileira mergulha em abismos de devassidão, de corrupção, de desrespeito aos códigos da justiça e da honradez, fase passageira do seu processo de evolução, Ismael, compassivo, intercede, junto a Jesus, em favor de todos, confiando nos reajustamentos que já se vêm operando com uma nova geração de mulheres e de homens de bem…

Certamente, o mesmo ocorre nos diversos países da Terra, no entanto, ao Brasil coube, por determinação do Mestre incomparável, a tarefa de devolver ao mundo a Sua mensagem de misericórdia e de libertação total.

Porfiai, pois, nos objetivos abraçados, sem jamais temerdes as forças do mal, que se diluem como a neblina ante o calor do Sol da verdade, instituindo o período do amor como essencial para a felicidade de todos.

Tendes sido objeto de ciladas e traições, de testemunhos que guardais em silêncio, nunca revidando ao mal, sempre compreendendo que sois discípulos dAquele que não se defendeu das acusações indébitas que lhe foram atiradas na face, sendo-vos, portanto, o modelo a seguir.

Solidão, desapreço, sofrimentos íntimos por anseios que se não converteram em realidade são as injunções a que fazeis jus em decorrência do vosso comportamento em outras passadas reencarnações.

Mantende, hoje, o brilho da alegria e da bondade na face e no sentimento, gerando harmonia onde quer que vos apresenteis.

Nunca experimentareis abandono, nem sofrereis a ausência dos vossos guias espirituais afetuosos, que seguem convosco até a conclusão da tarefa encetada, quando retornareis à grande pátria espiritual.

Que o Senhor vos abençoe e vos guarde sempre, vosso irmão e servidor.

Bittencourt Sampaio

Enquanto enxugávamos as lágrimas espontâneas, diluiu-se a luminosa figura do Espírito embaixador de Ismael, deixando aragens fluídicas de peculiar bem-estar, que a todos nos penetravam com efusão.

Lentamente a médium recobrou a lucidez, consciente de que havia servido de instrumento à materialização de um mensageiro especial, agradecendo ao Senhor a bênção em sentida oração.

Por nossa vez, não podíamos conter as emoções que se sucediam em calidoscópio de lembranças afetuosas que procediam da última existência, na Terra, quando tivemos ocasião de ler as obras escritas por esse venerável mentor, antigo membro da Federação Espírita Brasileira.

Chegando a hora do encerramento das atividades, Dr. Sílvio comunicou ao dirigente que orou, comovidamente, despedindo-se de todos nós até a próxima oportunidade.

A sorridente face do Sol ainda não se apresentara, mas os seus cabelos de luz já desenhavam sinais nas sombras antes em predomínio na noite...

21

AS BATALHAS DIFÍCEIS

As nossas conversações, após a memorável reunião, abordaram o tema da mistificação dos Espíritos infelizes. Tomado de surpresa ante o desmascaramento do perverso visitante, indagamos ao lúcido diretor do nosso trabalho:

– Como se atrevem esses companheiros a tentar expediente de tal porte, em um encontro de alta magnitude, conforme aquele do qual tivemos a felicidade de participar? Por outro lado, como se deu a diluição da máscara de que se utilizava o infeliz amigo, procurando ocultar a sua realidade?

Nosso benfeitor amigo, sempre aguardando as nossas indagações, solícito, esclareceu:

– A ignorância é a inspiradora da astúcia, que procura escamotear-se, assumindo equívocos lamentáveis.

"Pretendendo criar-nos embaraços, o rabino Eliachim preparou a farsa. Cuidou, ele próprio, de produzir por ideoplastia o disfarce do seu assecla, utilizando-se da hipnose e da autofixação mental do paciente, criando a sua imagem e deixando-se amoldar à mesma. Com esse recurso, o seu embaixador foi preparado para o cometimento, unindo à arrogância peculiar aos infelizes a hipocrisia, a que se encontra acostumado, na furna onde se refugia.

"Demorando-se na incorporação mediúnica, as energias saudáveis do médium contribuíram para a diluição do disfarce, ao tempo em que a irritação de que era tomado, restituía-lhe a condição normal de desvairado, vitimado pelo fenômeno da licantropia, a que se adaptou ao longo dos séculos, tornando-se a sua transitória realidade.

"É natural que nos déssemos conta da ocorrência desde os primeiros momentos, em razão da emanação vibratória que dele se exteriorizava, assim como da sua débil argumentação. Encontramo-nos, nessas atividades, quase sempre, em campo minado, sendo necessária a vigilância em favor da compaixão e da verdade.

"Desse modo, insistimos no seu ponto nevrálgico, isto é, naquilo que mais o irritava, que era o nome de Jesus Cristo, produzindo-lhe desgaste emocional e desajuste, conforme aconteceu.

"Nunca deveremos olvidar que os mensageiros do Mal e aqueles que mal se comportam, que, para eles, tudo é válido, desde que corresponda aos anseios dos seus objetivos. Não consideram os métodos dignos, porquanto transitam pelos estreitos caminhos da sandice, incapazes, portanto, de decidir entre o que se constitui ético e aquilo que não o é."

– Em razão do acontecimento – voltamos a indagar – o labor deverá continuar, oportunamente, nas furnas da intimidade do planeta, onde se resguarda e mantém o seu triste império de loucura?

Sem apresentar indisposição, sempre preparado para educar e instruir, o amigo respondeu, generoso:

– Considerando-se a robustez do império de sombras e de desaires, não nos será fácil e prudente, por enquanto, uma incursão ao seu reduto. Recordemo-nos que, desde o fim do século XV, que o sofrido amigo vem trabalhando com outros réprobos, para desforçar-se daqueles que o magoaram, transferindo a responsabilidade para o Mártir da Galileia. Trata-se, sem dúvida, de um verdadeiro Estado com todos os mecanismos de sustentação da sua política de ódio, com organização administrativa, numa comunidade constituída por centenas de milhares de desditosos, alguns ali refugiados por vontade própria, outros arrebatados compulsoriamente, onde são submetidos a aflições inomináveis, qual ocorre nas culturas bárbaras sob o comando de déspotas insensíveis...

"Não nos cumpre violentar os códigos do amor, pois a nossa vontade, ainda que imbuída das melhores intenções, não está acima das Soberanas Leis de Justiça e de Misericórdia, das quais ninguém foge...

"Deveremos aguardar o transcorrer dos dias, a fim de avaliarmos o efeito do nosso primeiro contato direto com o mandatário da comunidade, conforme ocorreu, através do seu símile desnorteado.

"Recordemo-nos que essa luta pode ser considerada de relevante importância, tendo em vista a revolução moral que se opera no planeta, neste momento em que nos encontramos em plena transição de um para outro tempo...

"Os nossos irmãos irão recrudescer as agressões aos servidores do Mestre, assim como contra a sociedade em geral, pensando em alcançar as vitórias da insensatez e do horror. Gerando distúrbios psíquicos e emocionais, estimulando as tendências inferiores das criaturas humanas, esperam as respostas em forma de desalinho moral sempre crescente, culminando na violência doméstica, urbana, nacional e mesmo internacional, por meio das guerras calamitosas em que se comprazem.

Olvidam que o progresso é inevitável e que o mal tem efêmera duração. Na alucinação que os toma, perderam a faculdade de raciocinar com discernimento, nada mais vendo, além das suas construções desafiadoras e suas lutas sem quartel, arrebanhando sempre novos adeptos, como vítimas ou solidários...

"Nosso objetivo é diminuir os efeitos de tão rude comportamento no organismo social, libertando das malhas obsessivas aqueles que nelas tombaram por insensatez e leviandade, diminuindo, dessa maneira, os males que têm lugar na sociedade contemporânea.

"A solução final está nas mãos do Comandante da barca terrestre, nosso Mestre e Senhor."

Não havia lugar para novas interrogações, desde que outros deveres o requisitavam.

Permanecemos em nosso centro de atividades, e enquanto não éramos convocados para novos cometimentos, reunimo-nos Lopes Neto, Ivon, outros amigos e nós, resolvendo visitar algumas instituições dedicadas ao Bem, algumas públicas, governamentais, outras pertencentes a organizações não-governamentais, a fim de aprendermos com os companheiros dedicados às lições do bem servir.

Elegemos, inicialmente, um hospital público, de emergência, e não pudemos ocultar o confrangimento que nos tomou conta, ao observarmos o volume de enfermos e sofredores, assim como a indiferença com que eram tratados. A sala estava repleta, assim como o corredor malcuidado, onde predominavam o descaso para com a vida humana e a agressividade de alguns funcionários remunerados para bem servir...

Desconsiderados nos seus direitos de apoio e de atendimento, os pacientes rebolcavam-se nas dores mais diversas, lutando por uma vaga para chegar ao médico, normalmente indisposto, talvez pelo cansaço ou pela saturação, demonstrando a falta de ética e de compaixão para com o próximo.

Certamente, não se poderia atender a todos de uma só vez. Nada obstante, seriam possíveis a gentileza, a paciência e a misericórdia para com os aflitos.

O intercurso entre encarnados e desencarnados era assustador. A maioria dos pacientes apresentava dolorosos quadros de perturbação espiritual em variado grau de profundidade, desde as obsessões simples às subjugações e vampirizações pertinazes.

Chamou-nos a atenção um senhor de sessenta anos aproximadamente que se encontrava numa cadeira de rodas, no corredor estreito, banhado de álgido suor, com graves problemas cardiológicos, cuja esposa suplicava por atendimento de emergência. A funcionária maldisposta acusava o médico de ainda não haver chegado, não vendo outra, senão a alternativa de procurar socorro em outro nosocômio...

Aprofundando observação, constatamos que, ao lado da cardiopatia que se refletia em todo o aspecto do enfermo, um Espírito feroz houvera-lhe atado *correntes metálicas,* que lhe apertavam o tórax, enquanto tentava asfixiá-lo. O olhar do vingador buscava hipnotizar o paciente, sugerindo-lhe mentalmente o suicídio como solução.

O senhor estertorava sem forças para reagir, com a mente totalmente desvairada. Repentinamente sofreu um vágado, e estabeleceu-se o pânico, ante a gritaria de que alguém estaria morrendo sem assistência...

Um enfermeiro, que caminhava pelo estreito espaço, correu em seu auxílio, massageando-lhe o tórax, na área cardíaca, enquanto o seu inimigo desencarnado com a fácies patibular, exultava de contentamento.

Em agonia, a senhora que o conduzia pôs-se a suplicar o auxílio divino, e não tivemos outro comportamento, senão, o de nos aproximarmos e, enquanto Lopes Neto elevava o pensamento em comovida oração intercessória, Ivon Costa dispôs-se a aplicar a bioenergia, a princípio, em movimentos de liberação dos fluidos morbíficos que o asfixiavam, para, logo depois, transmitir-lhe vitalidade.

Saindo, lentamente, do delíquio, banhado em suor e com a expressão de horror estampada na face, o doente foi levado rapidamente à unidade de terapia intensiva, enquanto a balbúrdia permanecia entre os demais enfermos.

Acompanhamo-lo, e notamos que o perverso vingador havia perdido, momentaneamente, o poder exercido sobre a vítima, em razão da energia benéfica do nosso companheiro espiritual.

Mantinha-se, no entanto, vigilante, aguardando, quando nos acercamos e tentamos um contato mental com o mesmo, que logo disparou o verbo agitado em queixas amargas:

– Por incrível que pareça – arengou, quase insano – trata-se de meu filho único, se assim o posso chamar. Homem portador de pequenos haveres, que eu era, porém vitimado pela asma desde a infância, há cerca de trinta anos, numa das minhas crises mais terríveis, desejando apoderar-se dos bens que me pertenciam, durante uma inesquecível crise de dispneia, o infame asfixiou-me com um travesseiro de plumas. Após o ato hediondo, que ninguém viu, voltou-me o corpo para a posição de quem se sufocara durante o sono…

"Não houve nenhuma suspeita, por ser conhecida a minha velha problemática.

"Eu não podia acreditar, enlouquecido que fiquei, com o terrível quadro que se apresentou no dia seguinte. Durante o enterro do meu corpo, enquanto eu vociferava, infeliz, ele fingia chorar, lamentando a morte do seu genitor querido.

"Jurei vingar-me do miserável, o que venho fazendo com critério nos últimos cinco anos, quando lhe surgiu o problema do coração, talvez causado pelo remorso e pela perversidade.

"Não lhe darei tranquilidade até vê-lo aqui, ao meu lado, quando iremos ajustar contas."

O amigo Ivon, sensibilizado com o drama do desencarnado, tentou um diálogo, para o qual o mesmo não estava interessado, permanecendo-lhe ao lado, como a serpente que hipnotiza a vítima para o bote certeiro.

Quando os servidores da saúde compreenderem o grave compromisso assumido para com o seu próximo doente, despertando para a realidade espiritual e se permitirem vincular à oração, à caridade, à inspiração, com certeza os hospitais se transformarão também em templos de misericórdia e de saúde integral...

Acompanhamos, também, naquele caos, o trabalho sacrificial de muitos Espíritos nobres, médicos e enfermeiros desencarnados, assim como familiares e amigos dos pacientes, procurando diminuir os graves danos decorrentes dos desmandos governamentais e da negligência de alguns servidores sempre mal-humorados...

Compreendemos que nada mais poderíamos fazer, naquele instante, e após acompanharmos diversos outros casos estarrecedores do intercâmbio infeliz entre as duas populações, a terrestre e a espiritual, na área da saúde, rumamos a um lar de meninas, dirigido por uma ONG que desfrutava de elevado conceito ético na cidade.

Não tivemos dificuldade em encontrar a instituição com uma boa arquitetura, sendo um edifício espaçoso e asseado, onde crianças que não conheceram seus pais albergavam-se.

Tratava-se de um lar com oitenta meninas com idades variadas entre poucos meses e dezenove anos...

O berçário muito limpo acolhia doze pequeninas, naquele momento, após a refeição adormecidas, sendo vigiadas por uma servidora da Casa.

Algumas outras brincavam no pátio amplo e arborizado, enquanto diversas se entregavam aos deveres domésticos, auxiliando na cozinha e na copa, assim como também cuidando dos seus pertences...

A diretora era uma senhora viúva de aproximadamente cinquenta e cinco anos, jovial e dinâmica, portadora de excelentes vibrações, simpática e sinceramente devotada ao labor a que se entregara, sem qualquer tipo de remuneração.

De formação religiosa católica, pessoalmente mantinha-se vinculada a Santa Terezinha de Jesus, a quem entregava o seu trabalho, a fim de que fosse encaminhado ao Senhor, procurando infundir em todos que serviam na instituição os sentimentos de bondade, de cortesia e de amor para com as crianças, assim como reciprocamente.

Diversas mãezinhas desencarnadas velavam pelas filhinhas, procurando auxiliar os servidores dedicados, enquanto outras, ainda em aturdimento, não compreendiam bem o que lhes houvera acontecido, mas davam-se conta da presença daquelas alminhas queridas.

Espíritos bons e laboriosos, nesse clima de elevadas vibrações, contribuíam para o bem-estar de todos, mantendo a harmonia e a alegria de viver que se manifestavam entre os que ali residiam ou apenas trabalhavam. Como resultado feliz, o serviço transcorria de maneira exitosa, enriquecedora, cheio de compensações emocionais.

Fez-nos muito bem a visita, porque nos facultou constatar que o primeiro passo para a vitória do bem é a transformação moral da criatura humana para melhor, superando as *más inclinações* e adotando os comportamentos saudáveis.

A grande e grave batalha sempre se há de travar nas paisagens íntimas de cada qual, a fim de que se lhe opere a instalação do amor e da verdade nos sentimentos. Não se trata de uma luta fácil, porquanto somos herdeiros de vícios e de desmandos que se prolongaram através dos milênios, até quando nos foi possível despertar para as emoções renovadoras e positivas, que devem predominar sobre as paixões animalizantes.

Sempre tem havido preocupação em conseguir-se vitória contra os outros, aqueles que são denominados inimigos, quando os verdadeiros adversários se encontram escondidos ou desvelados nos rincões escuros de cada alma.

Não foi, por outra razão, que Jesus acentuou a responsabilidade de cada um, quando informado da sua imortalidade e dos legítimos valores que dignificam e libertam a consciência.

Por sua vez, o Espiritismo veio para despertar o ser para a vivência dos postulados nobres que se apresentam como as virtudes tradicionais, ampliadas pelas realizações de elevação moral e comportamental.

Autovigiar-se, desse modo, constitui dever intransferível de todos aqueles que desejamos a concretização da ordem e do bem viver entre as criaturas terrestres, de modo a estarmos preparados para não dar guarida às intuições do mal, representado pelas antigas tendências, pelas sensações primevas, pelos terríveis vilões descendentes do ego, os filhos do medo, da ira e de seus sequazes.

Renovados e alegres, demandamos outras entidades dedicadas ao Bem e fomos visitar um lar de idosos dirigido por discípulos de *O Consolador*.

Tratava-se de uma área arborizada nos arredores da cidade, onde se havia construído dois edifícios, cada qual com dois pisos e diversas áreas entre jardins bem cuidados, com recantos adornados de bancos de ferro pintado, que serviam para a convivência fraternal entre os internos.

Um dos edifícios era totalmente dedicado aos pequenos e confortáveis apartamentos, ora masculino, ora feminino, evitando qualquer tipo de segregacionismo, tendo como referência os núcleos familiares convencionais.

Dois apartamentos comunicavam-se, tendo o sanitário entre ambos, de forma que poderia atender os residentes sem qualquer problema. Duas camas asseadas compunham o dormitório simples, tendo, ao lado de cada uma, pequena mesa onde se colocavam objetos de uso pessoal, fotografias de seres queridos, livros...

Os pacientes, alguns em avançada idade, com os distúrbios da senilidade, assim como das enfermidades dilaceradoras, eram tratados com carinho e bondade.

Diariamente havia estudos de *O Evangelho Segundo o Espiritismo*, de Allan Kardec, em cujas ocasiões o importante tema da morte era examinado criteriosamente, sem ameaças de punições no Além-túmulo nem privilégios ao despertar-se fora da matéria densa. Tudo era realizado com grande simplicidade, mas com carinho fraternal, que deixava transparecer a consciência do dever bem cumprido.

Alguns enfermos em delírio gritavam ou blasfemavam, riam ou agitavam-se sob controle do médico de plantão, dos auxiliares e dos Benfeitores espirituais que ali mourejavam.

Recepcionados pelo irmão Aurélio, encarregado da obra, porquanto fora o seu fundador, fazia mais de cinquenta anos, agora desvestido da matéria, tivemos a imensa alegria de percorrer todos os setores, ouvindo as explicações do amigo espiritual que prosseguia no afã a que se dedicara na Terra.

Tomando conhecimento do nosso interesse em conhecer algumas obras de beneficência, para ampliar o nosso aprendizado, o amigo Aurélio indicou-nos uma Casa de amor dedicada ao repouso de pacientes saídos de hospitais, que antes ficavam ao desamparo, no difícil período da convalescença, principalmente aqueles que vinham de cidades interioranas para tratamentos cirúrgicos.

Dando-nos corretas informações, demandamos o abençoado lar, em edifício moderno de três pisos, com diversos setores de atendimento aos sofredores do caminho, assim como realizando atividades doutrinárias do Espiritismo.

Fomos recebidos, à entrada, por venerável benfeitor da Humanidade, que deixara na Terra uma obra incomum nas terras da antiga África equatorial francesa, e que também cooperava naquele ninho de amor.

Surpreendidos pela sua presença, o sábio amigo percebeu-nos a perplexidade, e com naturalidade explicou-nos que o amor não tem pátria, elucidando:

– Quando jovem, vinculado à música erudita que dedilhava com brilhantismo no órgão, não vacilei em transferir-me das paisagens formosas do berço natal para o clima asfixiante das florestas africanas, em nome do amor de Jesus pelos Seus irmãos infelizes... Depois da desencarnação, porque atraído pelo afeto dos fundadores daquele lar, um casal totalmente dedicado ao bem, na sua sublime expressão da caridade, concordara em participar do formoso ideal de serviço aos mais carentes.

Conduziu-nos aos diferentes recintos, especialmente às enfermarias-dormitórios onde se encontravam mulheres e homens em processo de recuperação dos tratamentos cirúrgicos a que foram submetidos, enquanto outros, que viviam nas ruas, ali encontravam o amparo que os predispunha à recuperação, para o retorno à vida social.

Coincidentemente, naquele momento adentraram-se os fundadores, abnegado casal de servidores de Jesus, infatigáveis obreiros da beneficência.

A senhora estava aureolada por delicada filigrana de luz, demonstrando grande sensibilidade mediúnica, enquanto o esposo, igualmente confiante no bem, dialogava a respeito das necessidades da Casa que, no momento, experimentava algumas dificuldades econômicas, questão essa, porém, que não perturbava o seu programa.

Visitando os enfermos, podemos constatar que alguns mantinham os vínculos com os adversários espirituais, de que se iam libertando em razão das terapêuticas espíritas ali aplicadas, dos passes, da água fluidificada, das psicoterapias evangélicas, das desobsessões realizadas no Centro Espírita, em dependência própria.

Amigos de ambas as esferas da vida encontravam-se ao lado de trabalhadores voluntários que se ofereciam para ajudar os irmãos internos até quando podiam retornar aos seus sítios de origem. Alguns familiares dos mesmos, hospedados em pensões modestas, nas proximidades, também os visitavam, agradecidos e tomados de santas vibrações de paz.

Terminado o nosso périplo, agradecemos ao gentil Espírito que nos recepcionou, e demandamos outras entidades socorristas, adquirindo experiências necessárias ao labor de autoiluminação, verificando, não raro, o desinteresse da criatura humana comum, preocupada com as suas próprias necessidades, assim como dos poderosos do mundo, muitos dos quais totalmente divorciados dos deveres da solidariedade, que devem viger em todos os corações.

Permanecemos, também, por um pouco, visitando os antros da drogadição, nas quadras da cidade, nos jardins públicos, nos becos escusos, onde crianças se entregavam ao uso transtornador do *crack*, alguns apresentando já os sintomas dos desarranjos cerebrais em ressonância comportamental afligente.

A paisagem humana, sempre agônica, despertava-nos os sentimentos de compaixão e de misericórdia, levando-nos à oração intercessória em favor de todos os dominados pelos vícios, os tombados nas urdiduras do mal que praticaram contra si mesmos em outras existências, quando se permitiram a luxúria, a soberba, o crime legal ou não, agora colhidos nas redes fortes das reparações inadiáveis pelo sofrimento a que faziam jus.

As horas transcorreram com velocidade, e após a convivência útil com os seareiros da bondade, retornamos ao núcleo em que nos hospedávamos.

22

PREPARATIVOS PARA A CONCLUSÃO DO LABOR

A noite, em especial, estava esplêndida, banhada pelas miríades de astros, quais diamantes estelares piscando no zimbório em festa.

Sopravam as ânsias da Natureza carreando ondas de perfume nos braços da leve brisa. Era primavera na região, e o solo, coberto de relva macia e plantas delicadas, exultava ante as bênçãos da vida.

Nosso benfeitor, que demonstrava peculiar alegria, elucidou-nos que se fazia necessária uma revisão dos labores que havíamos realizado durante o período de três meses, desde a primeira incursão à assolada região de Sumatra, na Indonésia, após a qual, com outros companheiros retornamos ao planeta querido para os trabalhos em torno das reencarnações durante o período da grande transição, culminando com as experiências ao lado dos irmãos profundamente equivocados e entregues ao Mal.

Outros serviços, que se encontravam programados nas regiões mais infelizes, que sediavam os Espíritos rebeldes e contumazes na crueldade, ficariam para momento adequado, quando fossem estabelecidos os parâmetros socorristas para esse fim. Entre esses, receberia cuidados especiais a visita à região infernal em que se encontravam o rabino Eliachim ben Sadoch e os seus súditos desvairados... O trabalho do bem, que não cessa nunca, prosseguiria em outras áreas, contribuindo para o progresso da sociedade e do amado planeta.

Após as instruções, como lhe era habitual, iniciamos a jornada visitando alguns dos muitos casais que se ofereceram para o programa das reencarnações dos convidados de Alcíone, assim como dos ilustres missionários do passado, ora de retorno, ficando, para a etapa final, a instituição espírita onde nos sediáramos em outra ocasião, de modo a encerrarmos o compromisso assumido naquele reduto de amor e de caridade, onde incontáveis bênçãos eram prodigalizadas a todos.

É evidente que a programação das reencarnações cuidava também daquelas normais no planeta, dos Espíritos que retornavam em condições melhores para poderem participar da construção do novo projeto de iluminação das vidas, assim também apressando a transição.

Milhões de Espíritos terrícolas, portadores de títulos de enobrecimento, encontravam-se assinalados para o prosseguimento de suas tarefas, conforme nos referimos anteriormente, renascendo neste período formoso de renovação e de esperança.

Todos, certamente, estariam sob os cuidados especiais dos encarregados da Nova Era, de modo que ninguém pudesse sofrer qualquer tipo de impedimento, desde que se encontrando voltado para os compromissos relevantes e mantendo os propósitos de edificação interior.

Não houve antes, em qualquer época, uma revolução espiritual de tal porte, graças ao significado de que se revestem estes magnos momentos da evolução espiritual das criaturas.

A alegria dos responsáveis pelas reencarnações que, de alguma forma, receberam nossa contribuição, era imensa.

Visitando-os e dialogando com os mesmos durante o parcial desprendido pelo sono fisiológico, participamos da sua emoção e dos seus anseios, a fim de que logo pudessem ter no regaço os filhinhos bem-amados, com eles trabalhando nos projetos da nova Terra, do mundo de promissão...

Nesses momentos, atingiam emoções que se convertiam em lágrimas de júbilos e de gratidão a Deus, pela relevância do compromisso espontaneamente assumido.

A sublime concessão da progenitura para todos era portadora de um significado muito especial, porque facultava-lhes o desenvolvimento das emoções que se derivam da cocriação ao lado do Excelso Criador.

Por sua vez, os reencarnantes preparavam-se com afinco para corresponder às expectativas da investidura de que se faziam responsáveis.

Qualquer clarão na escuridão e no tremedal chama a atenção, atraindo para sua luminosidade, portanto, para o seu epicentro, aqueles que se demoram na treva. Eles seriam, de alguma forma, os novos portadores dos padrões de comportamento moral e espiritual, enfrentando os desafios graves e as perturbações que seriam movimentadas com o objetivo de dificultar-lhes o avanço.

Sempre ocorre esse fenômeno, que é resultado da rebeldia dos insensatos ante a serenidade dos portadores dos significados existenciais, que não se encerram com o túmulo. Em todas as épocas, os bons e nobres nos deveres foram malsinados, incompreendidos, perseguidos, sofrendo o sarcasmo e o repúdio de quantos se comprazem nas situações abomináveis em que permanecem.

Nunca, porém, lhes faltarão, com certeza, os recursos originados no mundo espiritual de onde todos procedemos, a fim de que os empreendimentos superiores façam-se coroar do êxito anelado.

Continuamos a ver a descida dos *fascículos de luz* na direção do orbe terrestre, representando os seres tutelares que penetravam na atmosfera planetária para o desempenho da grandiosa tarefa.

Por outro lado, tomávamos conhecimento das ondas volumosas de horror e de sofrimento que esmagavam comunidades inteiras, asfixiando os ideais de muitos e fazendo derruir todas as construções que não estivessem com os seus alicerces fincados na rocha, conforme a expressão vigorosa de Jesus.

De alguma forma, essa luta é bastante antiga, porque sempre houve bons e maus Espíritos na Terra, aqueles que elegeram o progresso como normativa existencial e aqueloutros que optaram por veredas diferenciadas, vinculando-se aos recomeços aflitivos e angustiantes...

Já nos encontrávamos no recinto elegido para o encerramento da nossa excursão, quando Dr. Sílvio foi procurado por um dos membros espirituais da Casa querida.

Apresentando grave apreensão na face, o bondoso amigo solicitou a ajuda do benfeitor para um dos médiuns abnegados da instituição que, naquele momento, se encontrava em uma situação muito grave.

Narrou, em breves palavras, o acontecimento, solicitando a interferência do generoso guia.

Tratava-se de um assalto a mão armada, a um trabalhador de Jesus, encontrando-se ele ameaçado de morte por um bandido fortemente drogado.

Orando, na crítica situação, havia recorrido à ajuda dos seus mentores, e, por isso, a sua prece fora ouvida, chegando até nós.

Sem mais delongas, o benfeitor convidou-nos a acompanhar o intermediário da solicitação e, deparamo-nos numa rua de péssimo aspecto, em sombras densas como decorrência dos fluidos deletérios de que se vestia a região dedicada ao comércio da carne humana...

O assaltante exigira que lhe fossem entregues o relógio, o telefone celular, o dinheiro, e estava em dúvida se o mataria ou o deixaria no corpo, quando nos acercamos da cena perigosa. A arma oscilava na sua mão trêmula, mantendo o dedo no gatilho em posição de disparo.

Vitimado por terrível obsessor que o infelicitava, o jovem adicto, usuário de drogas fortes, recebia a inspiração cruel do adversário para que ceifasse a vida daquele que se lhe fizera vítima indefensa.

Nesse momento, Dr. Sílvio dirigiu o pensamento na direção do desencarnado cruel e admoestou-o, informando que ele seria responsável por ambas as existências, tanto a do assassinado como a do assassino, que iria adicionar mais essa hediondez ao seu currículo nefasto.

Com austeridade, tocou na fronte do assaltante, que se encontrava sob a ação do malfeitor desencarnado, logrando interromper o fluxo da inspiração inferior, enquanto pôs-se a induzi-lo a que interrompesse o que se converteria em latrocínio.

As descargas de energia do Dr. Sílvio atingiam-lhe os *chakras* coronário e cerebral, produzindo a liberação momentânea do adversário frio e inclemente, e, de imediato, impôs-lhe uma nova onda de energia vigorosa no centro cardíaco, que teve o efeito de produzir-lhe um grande choque emocional, fazendo-o derrubar o revólver, fazendo-o tombar em seguida vitimado por uma hipotensão circulatória...

Evandro, o médium aturdido, percebeu a interferência do abnegado benfeitor, refez-se do choque, recuperou os seus objetos e, teleguiado pelo guia, afastou-se do local tenebroso em que se encontrava.

Dominado por diferentes emoções que agora o visitavam, começou a recordar-se do motivo que o levara àquele lugar umbralino, dando-se conta de que o seu era um objetivo cristão: caridade a uma jovem mulher em estado lastimável no catre miserável do pardieiro onde, anteriormente, vendia o corpo exausto e descarnado, vivendo os últimos momentos da atormentada existência terrestre...

Não era a primeira vez que a visitava, desde quando foi informado da degradação da sua existência, levando-lhe socorros alimentícios e moedas para a sustentação do corpo fragilizado e vencido, enquanto o anjo da morte rondava-lhe os dias de sofrimento.

As lágrimas escorreram-lhe dos olhos semiabertos, enquanto lhe podíamos ler os pensamentos caracterizados pela compaixão, mas inspirado pelo mentor gentil, tomou o rumo do lar...

Ainda é um grande desafio a ação do bem no mundo tumultuado da atualidade. Nem por isso, devem desanimar aqueles que se dedicam à prática da caridade e ao exercício do bem fazer, porquanto, se existem os carrascos do além, sempre dispostos ao crime hediondo, também pululam os anjos tutelares, vigilantes e rápidos, na execução da legítima fraternidade.

Pouco depois, o alvoroço tomou conta do sórdido reduto, quando alguém viu o jovem desmaiado que, nesse momento, despertava, alquebrado e ainda sob o efeito da drogadição e do choque vibratório que experimentara...

Como era conhecido na área, logo o caso foi encerrado, após alguns comentários desairosos, e o local voltou à sua condição tenebrosa de reduto do crime e da vulgaridade.

Concluída a nova tarefa, retornamos ao seio generoso da Casa Espírita, onde fomos recepcionados pelo mentor e diversos colaboradores, inclusive, o guia espiritual do nosso Evandro.

A noite seguia alta e as ruas lentamente ficavam desertas, movimentadas por alguns transeuntes retardatários.

O santuário que nos acolhia estava envolto em peregrina luz safirina que o inundava em todos os recantos. Trabalhadores desencarnados encontravam-se presentes, porque foram informados do encerramento das nossas atividades na atual conjuntura, bem como diversos médiuns e amigos de Jesus, em desdobramento parcial pelo sono fisiológico, igualmente ali se encontravam desejosos de participar das nossas despedidas...

Conduzidos ao salão de conferências e de estudos, que se encontrava repleto, o caroável guia da Casa convidou nosso benfeitor a sentar-se à mesa diretora, enquanto fomos conduzidos a lugares reservados à frente e os demais convidados acomodavam-se nos assentos para eles reservados. Um mesanino elaborado por energias espirituais, ao fundo, apresentava-se, também, totalmente tomado.

No silêncio natural que se fez, ouviu-se uma doce melodia que nos parecia chegar de desconhecida região espiritual, enriquecida por vozes infantis, exaltando a vida e o amor, enquanto flocos delicados de substância luminosa caíam em abundância sobre todos, recolhidos em silenciosa oração.

Quando os últimos sons desapareceram suavemente, a mentora Joaquina ergueu-se e orou comovidamente, rogando as bênçãos de Jesus para a reunião, suplicando-Lhe a presença sublime, de modo a vitalizar-nos, carentes que somos de auxílio e de sabedoria.

Os médiuns presentes, que se encontravam próximos de nós, concentrados, passaram a exteriorizar energia semelhante ao ectoplasma que se direcionava para um tubo transparente colocado sobre o estrado onde se encontrava a mesa diretora.

Lentamente, aquele vapor adentrou-se no cilindro e começou a formar uma figura humana, que logo identificamos como o Dr. Artêmio Guimarães, o que nos produziu indizível júbilo.

Quando terminou a materialização, ele saiu do local em que se condensou, e acercando-se da tribuna, exteriorizando a luminosidade do seu estado de elevação moral, falou com bela entonação vocal:

– *Irmãos queridos:*

"Abençoe-nos Jesus, o sublime Guia da Humanidade.

"Há pouco tempo, nossos projetos eram possibilidades em delineamento, que hoje se converteram em realidade, graças ao devotamento dos servidores sinceros do Bem.

"Inúmeros grupos de trabalhadores do Evangelho em nosso plano desceram à Terra, a fim de criarem condições para a instalação do Reino dos Céus *nos corações, e agora, de retorno à nossa comunidade, deixam espaço para outros lidadores darem prosseguimento ao programa, que se efetivará conforme o progresso dos resultados colhidos nas experiências iniciais.*

"Antevemos, felizes, os futuros dias de renovação total do planeta no seu aspecto moral, quando os Espíritos retardatários transferirem-se para outros mundos, onde irão operar o progresso que se negam neste momento e os mensageiros da luz transformarem os mecanismos de guerra em instrumentos de paz, os vícios e crimes em espetáculos de amor e de libertação.

"Os trabalhadores da grande transformação encontram-se, há algum tempo, operando diligentes nos mais variados segmentos sociais e culturais da Terra.

"Nestes dias, porém, dão-se as grandes migrações de Espíritos felizes, interessados na modificação das estruturas sociais do mundo para melhor, quando a dor fugirá envergonhada, por desnecessidade da sua presença entre os seres humanos.

"Tornando factível a promessa de Jesus, a respeito do mundo de regeneração, a caminho de paraíso ou planeta feliz, os abnegados obreiros da Espiritualidade preparam o ambiente em que deverão viver esses construtores do amanhã.

"Congratulamo-nos com os queridos irmãos que agora encerram o seu périplo de fraternidade, após o período que lhes foi concedido para a execução do projeto.

"Como não existe entre nós o repouso em forma de ociosidade, passado breve período de renovação e de estudos, os mesmos volverão ao proscênio terrestre para novas investiduras espirituais, contribuindo mais eficazmente junto aos rebeldes e insanos, em tentativa de despertá-los, a fim de que disponham da oportunidade para o arrependimento e a retificação moral, ao invés do exílio que lhes será imposto pela Divina Legislação.

"Certamente, serão atividades mais penosas e desafiadoras do que as que foram realizadas durante o período que hoje se encerra.

"Confiamos que o Sublime Trabalhador nos equipará de recursos e nos instrumentalizará para a execução do futuro programa, de forma idêntica a esta que se conclui em bênçãos.

"Que Ele mesmo, nosso Exemplo e Modelo, nos conduza com o Seu carinho, são os votos deste vosso amigo devotado e fiel."

Quando silenciou, novamente ouvimos a música angelical e as vozes infantis em hosanas a Jesus e à vida.

Retornou ao cilindro e diluiu-se diante dos nossos olhos orvalhados de lágrimas quentes...

Foi a vez do Dr. Sílvio erguer-se para agradecer a todos quantos cooperaram com a equipe que lhe coube dirigir.

Com a voz embargada, exorou:

Amado Mestre Jesus:

Convidaste-nos para trabalhar na Tua seara, e totalmente desequipados apresentamo-nos, à última hora, quando nos recebeste, oferecendo-nos o campo a lavrar.

Embora o dia se apagasse em a noite que se aproximava, permitiste que nos apressássemos e arássemos as terras dos corações endurecidos, a fim de podermos nelas ensementar a Tua palavra de amor e luz.

Após os anteriores fracassos em que tombamos, não tergiversaste em conceder-nos o lastro da confiança para a execução do Teu programa de renovação da Terra, apesar da nossa pouca experiência e quase nenhuma sabedoria.

Mesmo lutando contra as nossas imperfeições, visitaste-nos, vezes incontáveis, a fim de sustentar-nos no esforço de autotransformação para melhor, a fim de podermos enfrentar os desafios internos e solucionar as dificuldades exteriores.

Os dias passaram na ampulheta do tempo e chegamos à etapa final com as mãos quase vazias de feitos, embora o coração e a mente agradecidos por todas as Tuas formosas concessões.

Perdoa-nos a imperícia, as limitações, as dificuldades, porém, o que possuímos de melhor oferecemos ao serviço, e o que muito gostaríamos de realizar, tentamos fazê-lo, permanecendo dispostos para os empreendimentos do futuro.

Honra-nos com novos convites e enriquece-nos com a Tua incomparável misericórdia, facultando-nos novos cometimentos de luz.

Agradecemos-Te, Senhor nosso, depositando no Teu coração amoroso os nossos melhores sentimentos de ternura e de gratidão.

Quando silenciou, as emoções haviam alcançado o clímax.

Encerrada a bela reunião, lentamente chegou a hora das despedidas.

Repassamos pela mente e pela emoção todos os lances do empreendimento, desde o primeiro tentame junto às vítimas do *tsunami* do oceano Índico até o socorro ao jovem médium, concluindo pela vitória do amor em todas as suas expressões.

Raiava novo dia, quando nossa caravana, ainda sob o comando do Dr. Sílvio Santana, retornou ao nosso plano espiritual.

À medida que nos afastávamos da Terra querida, podíamos vê-la envolta em luz azul, rodopiando no Cosmo e avançando no rumo de *planeta de regeneração.*

IVON COSTA

Nascido na cidade de São Manuel – MG, hoje Eugenópolis, no dia 15 de julho de 1898 e desencarnado em Porto Alegre/ RS, no dia 9 de janeiro de 1934, com apenas 35 anos de idade, Ivon Costa foi um dos mais notáveis conferencistas espíritas do Brasil, contribuindo decisivamente com sua palavra abalizada e esclarecedora no sentido de dinamizar a difusão da Doutrina Espírita, o que fez com fibra inquebrantável e verdadeiro denodo.

Dotado de invejável dom de oratória e possuindo um magnetismo contagiante e uma voz privilegiada, arrebatava os auditórios com a força de sua argumentação.

Foi seminarista, entretanto, quando faltavam apenas dezenove dias para a sua ordenação sacerdotal, constatou-se que ele não possuía certidão de batismo. Em face da confusão estabelecida, Ivon desistiu de seguir a carreira eclesiástica.

Dirigiu-se, então, para o Rio de Janeiro onde estudou e se diplomou em Medicina. Era notável poliglota, falando perfeitamente o francês, o inglês, o alemão e o espanhol.

Atravessando, certa vez, uma fase difícil em sua vida, viu-se defronte de um centro espírita, onde se realizava uma reunião pública. Movido por estranho impulso adentrou a sede da instituição e ali ouviu os comentários sobre a Codificação Kardequiana. Ao retirar-se, estava transformado, pois havia encontrado a resposta a todas as suas indagações.

Tornou-se espírita e iniciou logo as tarefas de pregador. Possuindo sólida bagagem intelectual e médium que era, destacava-se com raro brilhantismo na tribuna, mantendo, além disso, diálogo com os assistentes, a fim de esclarecer melhor os argumentos empregados nas conferências.

Percorreu também países da Europa, entre eles Portugal, Espanha, França, Holanda, Bélgica e Luxemburgo.

Certa vez, ia falar em Maceió - AL, num teatro alugado, mas, pouco antes da conferência, o teatro foi fechado por ordem do bispo local. O público, inconformado com a atitude do clero, levou-o à praça, onde a palestra foi realizada. Em represália, os sinos da igreja repicaram e alguns fanáticos lhe atiraram pedras; porém, ele suportou tudo com estoicismo e verdadeiro espírito de renúncia.

Ivon Costa residiu dois anos na Alemanha. Em seguida mudou-se para Paris, onde exerceu a função de intérprete de cinema, na Paramount. Em todos os lugares por onde passava, deixava as sementes da Doutrina dos Espíritos. Também participou do Congresso Internacional de Espiritismo, em Haia, Holanda.

Em 1932 Ivon Costa retornou definitivamente para o Brasil, passando a residir em Porto Alegre, onde clinicava gratuitamente.

Podemos afirmar que Ivon Costa foi o primeiro espírita que mais excursionou no propósito de propagar os ideais reencarnacionistas, sendo a sua tarefa muito semelhante àquela desempenhada pelos grandes tribunos Vianna de Carvalho e Divaldo Franco.

Da sua obra missionária resultou a fundação de elevado número de sociedades espíritas em todo o Brasil.

Fonte de consulta:
Livro *Personagens do Espiritismo*, de Antônio de Souza Lucena e Paulo Alves Godoy - Edições FEESP
http://www.espiritismogi.com.br/biografias/ivon.htm

ÍNDICE REMISSIVO